RENDEZ-VOUS D'AMOUR DANS UN PAYS EN GUERRE

Dans cet ensemble qui regroupe une trentaine de courts récits, Luis Sepúlveda poursuit la tradition latino-américaine des *cuentos* qui portent tous la marque de rendez-vous manqués : avec soi-même, avec l'amour, l'amitié, ou le temps qui passe. Partant de situations tantôt mystérieuses, tantôt banales, il met ainsi en scène des personnages ordinaires qui font l'épreuve du réel, du plus agréable au plus cruel. Dès lors n'importe quel objet devient le déclencheur d'une évocation nostalgique ; l'insolite fleurte avec le grotesque, la mélancolie solitaire avec la magie de terres lointaines.

Les pensées vagabondes suivent le mouvement cahotant de trains le long de la cordilière des Andes, ou l'amarrage éphémère de navires dans quelque port d'Europe ou d'Amérique du Sud. À la beauté de ces paysages variés, aux désirs d'adolescent et à la peur du rêve, vient s'ajouter l'horreur de la dictature et de la guerre civile, où la paranoïa s'empare des individus comme le versant de cauchemars énigmatiques.

Occasions ratées, possibilités peut-être négligées de changer sa vie, Luis Sepúlveda parvient à saisir l'insaisissable, nourrissant de ses propres illusions et désillusions politiques, amoureuses, écologiques même, ce livre attachant, où il donne toute la mesure d'un grand raconteur d'histoires.

Luis Sepúlveda est né au Chili en 1949. Emprisonné par les militaires chiliens au moment du coup d'État puis contraint à l'exil, il parcourt l'Amérique latine, vit en Amazonie chez les Indiens Shuars, se fixe définitivement à Hambourg. Ses romans sont aujourd'hui traduits en dix-huit langues.

DU MÊME AUTEUR

Le Vieux qui lisait des romans d'amour
Éditions Anne-Marie Métailié, 1992
et « Points », n° P70

Le Monde du bout du monde
Éditions Anne-Marie Métailié, 1993
et « Points », n° P32

Un nom de torero
Éditions Anne-Marie Métailié, 1994
et « Points », n° P237

Histoire de la mouette et du chat
qui lui apprit à voler
Illustrations de Miles Hyman
Éditions du Seuil/Anne-Marie Métailié, 1996

Le Neveu d'Amérique
Éditions Anne-Marie Métailié, 1996
et « Points », n° P494

Journal d'un tueur sentimental
Éditions Anne-Marie Métailié, « Suite », 1998

Yacaré
Éditions Anne-Marie Métailié, « Suite », 1999

Luis Sepúlveda

RENDEZ-VOUS D'AMOUR DANS UN PAYS EN GUERRE

et autres histoires

RÉCITS

Traduit de l'espagnol (Chili)
par François Gaudry

Éditions Métailié

Les récits qui composent le présent recueil ont été traduits par François Gaudry, à l'exception de la dernière partie de l'ouvrage, intitulée « Rendez-vous d'amour manqués », et du récit de clôture, intitulé « Aussi une porte du ciel », traduits par Anne-Marie Métailié.

TEXTE INTÉGRAL

TITRE ORIGINAL
Desencuentros

ISBN 2-02-036573-1
(ISBN 2-86424-254-0, 1re publication)

Rendez-vous manqués de l'amitié

Une maison à Santiago

J'ai serré très fort les yeux pour la retenir, pour la garder en moi, puis je les ai ouverts tout grands pour me présenter de nouveau devant le monde.

L'Heure sans ombre, Osvaldo Soriano

Tout arriva très vite, parce que le ciel est parfois très pressé. Quelque chose se déchira dans l'air, les nuages déchargèrent leur violence et en un instant je me retrouvai trempé au beau milieu de l'avenue. Je courus à la recherche d'un endroit où m'abriter et pensai à la librairie El Cóndor, la seule librairie latino-américaine de Zurich, assuré d'y être chaleureusement accueilli par Maria Moretti, qui se hâterait de m'enlever ma gabardine et de m'offrir un bol de café pendant que je me sécherais la tête avec une serviette ; mais l'orage redoubla de violence et je ne pus faire autrement que d'adopter l'attitude de poulet désespéré qui est celle de tout piéton surpris par une averse.

C'est alors que derrière le rideau de pluie, je vis l'affiche sur une porte vitrée :

EXPOSITION PHOTOGRAPHIQUE DE C.G. HUDSON

FAÇADES DE MAISONS

Harcelé par la pluie, je me décidai à entrer et tandis que je poussai l'étroite porte, je pensai au nombre de fois où j'étais passé dans cette rue sans remarquer l'existence de cette galerie, mais je n'en fus pas vraiment étonné ; à Zurich comme partout ailleurs des galeries d'art ouvrent et ferment.

Les photos étaient accrochées dans un salon blanc, l'éclairage était parfait et j'étais l'unique visiteur.

Sur une table, des catalogues sobrement imprimés détaillaient la brève vie du photographe :

C.G. Hudson. Londres, 1947-1985. Expositions individuelles à Dublin, New York, Paris, Toronto, Barcelone, Hambourg, Buenos Aires…

À première vue les photos me parurent bonnes, bien qu'une telle appréciation ne signifie rien. Nous savons que le plaisir ou l'émotion que procure une œuvre d'art sont le fruit d'imprévisibles rencontres d'états d'âme.

La première photo montrait le porche d'une maison vénitienne du Campo della Maddalena. Les couleurs étaient vives, invitaient à palper le grain de la pierre et la rugosité du bois. Puis venait l'entrée d'une demeure patricienne de la Maria Hilfe Strasse, à Vienne. Suivaient une grille rouillée dissimulant en partie la façade d'une villa romaine, la silhouette irréelle et blanche d'une maison en Crète (Haghios Nikolaos) et la pierre hautaine et amoureuse d'une ferme catalane (Palau de Santa Eulalia). Tout à coup, entre la ferme et un édifice étroit de la rue des horlogers, à Bâle, je vis une porte verte délabrée avec une main de bronze empoignant une boule.

Je m'approchai en sentant que la tristesse modelait un masque odieux sur mon visage. Mes pas me conduisaient, non devant la photographie d'un lieu ou d'un objet familiers, mais vers une porte derrière laquelle des intérieurs secrets m'attendaient enveloppés dans l'inclémence des années passées et la raillerie du temps.

C'était la maison. Je reconnus le numéro vingt écrit sur une plaque ovale en laiton bleu. La légende des photos dissipa mes derniers doutes : « Maison de Santiago. Rue Ricantén ».

Un froid inconnu fit trembler mes jambes et une sueur plus glacée encore me parcourut l'échine. Je voulus m'asseoir et, ne trouvant pas de siège, j'enlevai ma gabardine trempée et la posai par terre près de la table des catalogues.

C.G. Hudson, 1947-1985…

Il y avait peu d'années que le photographe était mort et j'éprouvais l'impérieux besoin de parler avec quelqu'un, un employé, le directeur de la galerie, quiconque me donnerait une information et surtout m'aiderait à trouver la date à laquelle cette photographie avait été prise.

Je vis une porte que je supposai être celle du bureau du gérant, je frappai et n'obtenant pas de réponse, je tournai la poignée et poussai lentement. De l'autre côté, dans une pièce pleine d'affiches et de produits d'entretien, une femme dissimula honteusement son thermos de café.

— Excusez-moi, je ne voulais pas vous faire peur. Vous pouvez me dire à quelle heure vient le responsable de l'exposition ? Je suis journaliste et j'aimerais lui poser quelques questions…

Elle me répondit que le propriétaire de la galerie venait habituellement l'après-midi, une demi-heure avant la fermeture, qu'elle faisait le ménage et qu'elle attendait qu'il pleuve un peu moins.

Je laissai la femme et retournai voir la photo. Comme il n'y avait personne dans la salle j'allumai une cigarette. Le tabac me calma. Je ne tremblais plus, mais l'imminence de la fermeture d'une boucle que je croyais pourtant oubliée me rendit malheureux.

C'était bien la maison. Et entre elle et moi il y avait le temps, et quelque chose d'autre.

Le jaune délavé du mur, le vert agressif et militaire de la porte, et la rigide main de bronze empoignant une boule étaient comme des taches honteuses dans l'esthétique des autres photographies, mais cette laideur délibérée me transporta vers une odeur de dalles lavées que je croyais disparue de ma mémoire, parce que l'alchimie du bonheur dépend d'un juste dosage des oublis.

C'était un soir d'été que j'avais franchi le seuil de cette maison. C'est bien la seule certitude qui me reste. Je m'en souviens. Tino et Beto m'accompagnaient. Nous formions un trio inséparable, dévoreurs de lomitos[1] et d'aubes, buveurs novices de vins âpres et secs, et d'amours, dans les pires tavernes, seigneurs naïfs de la danse et de la nuit.

Chaque fin de semaine se posait à nous une question d'honneur : être invités à un bal, à une fête, à un événement, et, autant que possible, avec un trio de nouvelles petites amies afin de passer en leur compagnie de longues heures de musique et de paroles susurrées à l'oreille.

Les meilleurs programmes, c'était presque toujours Beto qui les proposait. Son emploi de releveur de compteurs à la compagnie d'électricité lui permettait de connaître beaucoup de monde, de sorte qu'il nous procurait des invitations à des baptêmes, des anniversaires, des noces d'argent et autres fêtes familiales.

Beto… et, dites-moi, ça vous embête si je viens avec un ou deux amis ? Deux garçons très sérieux, de bonne famille, on est comme des frères, vous savez, comme les Trois Mousquetaires, un pour tous et tous pour bien s'amuser. Ce sont deux très gentils garçons.

1. Porc coupé en dés.

Ce fut un samedi d'été. Santiago sentait l'acacia, les jardins mouillés, les dalles arrosées qui convoquaient les frais crépuscules de cette « ville entourée de symboles d'hiver », et nous, nous sentions la brillantine, la lavande anglaise dont nous imbibions nos mouchoirs, car, disait Tino, les femmes demandent toujours des mouchoirs.

Tino… mais attention, compadres. Restez sur vos gardes. Gentils, mais pas amoureux. Seuls les couillons se laissent alpaguer et si vous ne me croyez pas, regardez donc le Mañungo. Avant il était de tous les coups, et maintenant, lui le fier-à-bras, il s'est fait alpaguer et il est comme un chat devant la vitrine du boucher…

Alors on ne tombait pas amoureux. C'était un virage dangereux que nous évitions de toutes nos forces, parce que si cela arrivait à l'un d'entre nous, l'unité du groupe risquait d'être brisée. Et des femmes, il y en a beaucoup, mais des amis…

Beto et Tino, un samedi, en été.

— Beto, alors où c'est ?

— Rue Ricantén, et ça promet.

— Des minettes ?

— J'en ai vu deux qui sont à croquer.

— Tu me fais le nœud de cravate, Betofen ?

— Branle-bas de combat. Mais Tino, tu empestes la benzine ! On te nettoie encore les pantalons à la benzine ? Bien sûr, puisqu'ils sont en cachemire. C'est antédiluvien, vieux. Tu devrais plutôt porter du diolen. Le diolen, c'est lavable et toujours impeccable, comme si on venait de le repasser.

— D'accord Betofen. Du diolen. On y va ?

En chemin, nous nous équipâmes en cigarettes, Libertys pour nous et Frescos pour les filles, qui à cette époque aimaient les mentholées. Nous achetâmes en plus la traditionnelle bouteille de pisco pour les maîtres de maison, certificat d'honorabilité qui nous évitait de figurer sur la liste des pique-assiette.

Ricantén, numéro vingt. La porte était vert caserne, encadrée par un mur jaune écaillé, et possédait sur sa partie supérieure une main de bronze empoignant une boule.

Beto fit les présentations de rigueur, nous acceptâmes avec plaisir quelques petits verres de punch en complimentant la maîtresse de maison, nous examinâmes le personnel et en quelques minutes nous étions les patrons du bal. Luis Dimas, Palito Ortega, The Ramblers, Leo Dan. Et nous applaudissions les vieux quand ils attaquaient un paso doble ou un tango.

Peu avant minuit la distribution des couples était décidée : Beto avec Amalia, qu'il ne lâcha plus d'une semelle, et Tino avec Sarita, une fille avec des lunettes qui lui traduisait à mi-voix les chansons en anglais. Je les enviais, fatigué que j'étais de danser avec d'audacieuses porteuses de chaussettes ou avec la maîtresse de maison et je me résignais déjà à être le perdant de la journée.

Selon le règlement de notre groupe, le perdant était condamné à payer une tournée de lomitos et de bière à la Fuente Alemana. J'étais en train de compter l'argent que j'avais sur moi quand tout à coup apparut Isabel, s'excusant d'arriver si tard.

Rien que de la voir j'en eus le souffle coupé. Jamais – et je ne sais si je dois m'en féliciter – je n'ai revu des yeux comme ceux-là. Plus que regarder, ils paraissaient attirer, aspirer la lumière de tout ce qu'ils parcouraient, nourrissant leurs pupilles d'un éclat humide et mystérieux.

— On danse ? l'invitai-je.

— Pas encore. On s'asseoit un moment ?

Sur le canapé elle ne me quittait pas des yeux. Elle semblait étudier et mesurer mes réactions avant d'accepter un rapprochement plus étroit. Je me sentais idiot. Même le classique « Tu es étudiante ou tu travailles ? » ne passait pas mes lèvres, et finalement, comble de l'originalité, je lui demandai si par hasard elle savait danser.

L'éclat de ses yeux se fit plus vif. Sans dire un mot elle se leva, se dirigea vers l'électrophone, interrompit Buddy Richard et sa ballade triste, posa un nouveau disque de rythmes d'Amérique centrale et, à la surprise générale, elle plaça sur sa tête une carafe de punch et se mit à danser avec de prodigieuses ondulations de hanches et d'épaules sans renverser une goutte.

Après avoir reposé la carafe et remercié pour les applaudissements, elle revint à côté de moi.

— Alors ? Tu crois que je sais danser ?

Les heures suivantes passèrent imperceptiblement. Nous dansions et je découvrais une dimension inconnue du langage des corps. Je sentais qu'elle se laissait véritablement conduire, que ce n'était pas pour elle une pure formalité, mais qu'elle désirait que je l'entraîne sur un chemin jalonné de brusques rapprochements et d'éloignements momentanés. Elle se laissait attirer sans résistance et se collait à mon corps. Elle profita d'un mouvement de la danse pour ouvrir ma veste et presser ses petits seins durs contre ma chemise. Alors je la serrai davantage et dans les virevoltes prolongées par le balancement de ses hanches félines, je poussai une jambe entre les siennes jusqu'à sentir le contact volcanique de son sexe. Elle se laissait faire, entraîner, attirer, avec une complaisance appuyée par de faibles gémissements et ses doigts plantés dans mon dos.

Quand elle perçut l'érection qui gonflait mon pantalon, elle souda son ventre à mon corps et je sentis grimper, comme une araignée sur ma tête, cette pensée : « Tu es à point, minette, ma chaude petite minette, tu es à point », mais quelque chose de plus fort me fit honte. Je secouai la tête, l'araignée-pensée tomba et en un pas de danse je l'écrasai sous ma chaussure.

Les heures passaient, obstinées, et je ne désirais que continuer à étreindre Isabel, sans parler, en tournant sur un air de blues tandis que Ray Charles demandait qui se trouvait de l'autre côté du mur de sa cécité, mais personne ne lui répondait parce que l'union de nos corps et de nos haleines nous faisait oublier tous les mots et toutes les langues.

Nous dansions les yeux fermés quand les invités plus âgés commencèrent à quitter discrètement la fête, et les maîtres de maison ne tardèrent pas à oser interrompre le *Summertime* de Janis Joplin pour nous signaler qu'il était très tard, qu'ils étaient fatigués, merci beaucoup pour votre présence et, avec cette diplomatie brutale des gens de Santiago, ils déclarèrent que tout avait une fin et qu'il était temps que chacun regagne ses pénates.

Ce ne fut pas facile de nous décoller.

— On se voit demain ? m'entendis-je implorer.

— Je ne peux pas. Samedi prochain.

— Qu'est-ce que tu dois faire ? Après-demain, alors.

— Ne me pose pas de questions. Je n'aime pas ça. Samedi.

— Bon d'accord. On ira au ciné ?

— Formidable. Viens me chercher à sept heures.

Nous sortîmes dans la rue pour parachever le rituel des adieux.

À quelques pas, Tino et Sarita, Beto et Amalia se laissaient envelopper par la brise nocturne. À les voir s'embrasser, collés comme des sangsues, je trouvai préférable d'aller un peu plus loin. Je voulus embrasser Isabel, mais elle m'arrêta.

— Non. Nous, on est différents. Retournons à la maison, je te donnerai mieux qu'un baiser.

Le salon était plongé dans une demi-obscurité. Ça sentait le tabac, le pisco, le punch éventé, la musique tiède. Isabel referma la porte.

— Tourne-toi et ne bouge pas jusqu'à ce que je te l'ordonne.

Brusquement, dans l'obscurité, m'assaillit pour la première fois la certitude de la peur. Une peur inexplicable. Une peur dont le territoire s'étendait de la pointe de mes chaussures jusqu'au bord d'un abîme que ma logique hâtive s'efforçait de nier.

— Maintenant, retourne-toi.

J'obéis et sentis qu'un million de fourmis grimpaient sur ma peau. Isabel était allongée sur le canapé et les fourmis étaient lourdes et grosses. Elle avait relevé sa robe jusqu'aux épaules et s'en couvrait le visage, et les fourmis s'emparaient de mon cou. Elle était nue et ces maudites fourmis m'asphyxiaient.

Dans la pénombre, je distinguai l'éclat de sa peau, ses petits seins violemment dressés, couronnés par deux boutons foncés. Elle m'offrait entre ses jambes un triangle de fine mousse, sur lequel tombait, comme une bruine, un rai de lumière qui filtrait de la rue. Je retenais mon souffle afin que les fourmis me laissent en paix.

— Viens, susurra-t-elle en faisant onduler ses hanches.

À genoux, je laissai ses mains déterminées, agrippées à ma tête, dominer ma précipitation. Je me laissai mener comme dans un voyage aérien. Isabel maintenait ma tête, me permettant à peine d'effleurer sa peau du bout des lèvres, et me guida ainsi de ses épaules à ses seins, de son ventre aux hémisphères pleins de ses hanches. J'étais un heureux argonaute en attente de l'ordre de descendre en un lieu précis.

Ses mains manœuvrèrent avec assurance. Pas un souffle de brise n'entrava ma descente dans la vallée à la végétation ondulée qui culminait au bout du sentier de ses jambes ouvertes, où mes lèvres cherchèrent une harmonieuse place avant de goûter aux saveurs inconnues de sa bouche verticale et secrète. Et je voulus entrer en elle. Le désir ferma chacun de mes pores et imprima son rythme à mon cœur, à mes poumons, afin que rien ne vienne gêner la langue exploratrice qui s'ouvrait un passage vers une mer de plaisir où je voulais plonger pour remonter ensuite, tant je pressentais que le bonheur se trouvait à l'intérieur de cette cavité humidifiée par ses mouvements et mes caresses. Je voulais entrer en elle, entrer pour qu'elle m'y donne une place. C'est peut-être à cet instant-là que j'ai deviné que l'amour est une naïve tentative de renaissance.

— Je te plais ? demanda-t-elle tout à coup.

— Je t'aime, répondis-je en m'appropriant pour la première fois ce verbe.

— Alors viens samedi, tu m'aimeras encore plus, affirma-t-elle en se levant d'un bond.

La robe retomba sur son corps en un mouvement de cascade qui emporta les dernières fourmis.

Je sortis de la maison comme flottant dans un air léger. Mes pensées étaient un mélange de saveurs, de lumières, de couleurs, d'arômes, de mélodies. Charles Aznavour répétait Isabel Isabel Isabel, parce que je le lui ordonnais, et savoir avec certitude que la mer Morte est tellement salée que les corps ne peuvent s'y noyer contribuait à mon bonheur. Froid, chaud, peur, joie, je ressentais tout cela en même temps.

Tino et Beto m'attendaient au coin de la rue et ils avaient l'air tout aussi heureux. Ils ne tenaient pas en place et ne cessaient de se donner des bourrades dans le dos.

— Qu'est-ce que vous diriez de quelques pilseners ? proposa Beto.

— Qu'est-ce que le poisson dit de l'eau ? répliqua Tino.

— Allez, c'est moi qui invite, ajoutai-je.

Ils me prirent chacun par un bras et me firent courir.

— Et ? Halte-là. Comment ça s'est passé avec la petite Isabel ? demandèrent-ils d'une même voix.

— Faites pas chier, répondis-je en me dégageant.

Nous continuâmes à marcher en silence. J'étais fâché contre eux et eux l'étaient contre moi. Heureusement, nous trouvâmes bientôt un bar ouvert et une tournée de bières effaça toute trace d'amertume.

Santiago. Combien d'années ont passé ? Santiago, es-tu encore là, entre mer et montagnes, « entouré de symboles d'hiver » ?

S'amuser, faire des conquêtes, cela n'était pas en soi aussi important que de pouvoir en parler avec les copains. Tino et Beto discutaient de leurs dernières prises.

— Vous avez vu ? D'entrée, regard droit dans les yeux, et au tapis.

— Ça doit être à cause du diolen, Betofen.

— Non, sérieux. J'ai un style. Marlon Brando est une savate à côté de moi.

— Bon, mais question style, le mien n'est pas mal non plus. Sarita, à la première danse elle fondait déjà contre moi.

Je les écoutais en silence. Je ne pouvais ni ne voulais leur parler d'Isabel. Pour la première fois je découvrais la valeur du silence. Le mot intimité cognait dans ma bouche et j'acceptais la punition de bonne grâce.

Eux dressaient des plans pour le lendemain. Ils étaient convenus de se retrouver avec les filles pour le programme habituel : ciné, hot-dogs au Bahamondes, un verre au Chez Henri, puis petite balade sous les ombres complices du parc Santa Lucía, « si coupable la nuit, si innocente le jour ».

Le dimanche fut insupportable. Je passai la journée en caleçon, retranché dans un mutisme qui étonna mes vieux. Dans l'après-midi, je vis passer mes amis qui allaient à leur rendez-vous, je les enviai à en crever et finis par m'enfermer pour lire un roman de Marcial Lafuente Estefanía, *Yo que tu no lo haría forastero*[1], sachant parfaitement que ses cow-boys ne parviendraient pas à m'éloigner d'Isabel.

Dimanche, lundi, mardi. La semaine s'écoula avec une lenteur désespérante. Les heures de classe se prolongeaient jusqu'à des extrêmes insupportables et les soirées passées à fumer debout au coin de la rue perdirent tout leur charme.

Le coin de la rue. Notre coin de rue. Les marches de la boucherie, notre petit amphithéâtre aux pavés usés,

1. Si j'étais toi, je ne le ferais pas, étranger.

où, insensibles, nous assistions si souvent au spectacle de rêves brisés par la vie quotidienne et passions en revue notre répertoire de souvenirs tout frais pour un public de chiens amicaux ou de gamins têtus qui voulaient être comme nous. Ce coin de rue éclairé par un réverbère qui projetait nos ombres de reptiles fugaces jusqu'à les faire tomber dans la bouche d'égout qui emportait nos mégots vers un monde obscur, souterrain, qui n'en était pas moins le nôtre. Le coin de la rue. Ce lieu marqué mille et une fois par notre présence de machos précoces. Salle de commandement, table d'opérations, roulette, confessionnal de cette trinité d'oiseaux incapables de prévoir la catastrophe qui les attendaient au bout des premiers vols, le coin de la rue ne parvenait pas à calmer l'anxiété croissante qui s'emparait de ma peau plus la rencontre approchait. Jusqu'à ce qu'arrive enfin le matin de ce samedi tant attendu.

Ma première visite fut pour le coiffeur.

CACERES
Styliste pour hommes. Coupe et rasage.

— Coupe américaine ronde et les pattes bien marquées, s'il vous plaît.

Au styliste Cáceres. Diplôme d'honneur. Premier Concours International de Coiffure. Mendoza, Argentine.

— Et la banane ? Comment vous la voulez la banane ? À la Elvis ?

Au styliste Cáceres, avec affection. Nino Lardy, la voix chilienne du tango.

— Je ne porte pas de banane. Je me peigne à la gomina, plaqué, vous voyez ?

Cáceres
Massage capillaire garanti.
Pas un chauve ne me résiste.

Je lustrai mes chaussures jusqu'à ce que le cuir trille comme un canari. J'en rajoutai dans l'habillement. J'empruntai la meilleure cravate de mon vieux, qui m'observait de la retraite spirituelle de ses analyses hippiques, et enveloppé d'effluves de lavande anglaise je m'élançai à la rencontre d'Isabel.

J'étais nerveux. Dans le minibus, je remarquai que des femmes se retournaient sur mon passage et murmuraient d'un air narquois. « J'ai dû exagérer avec la lavande, mais à l'air ça partira. S'il y en a un qui ose me traiter de pédé qui sent la pute, je lui casse la gueule. Sûr. »

J'achetai des cigarettes dans la boutique où nous nous étions arrêtés le samedi précédent, et peu avant d'arriver à la rue Ricantén je profitai d'une vitrine pour vérifier mon nœud de cravate et ma coiffure. J'étais impeccable et je partis à la recherche du numéro vingt.

Quatorze, seize, dix-huit, vingt… Vingt ?

Au numéro vingt je trouvai une maison grise aux murs lézardés par le dernier tremblement de terre. Une maison avec une contre-porte de style anglais et des fenêtres protégées par des barreaux de fer.

Je pensai que je m'étais trompé de rue. C'était possible, je n'étais pas dans mon quartier, et je rebroussai chemin jusqu'au coin de la rue pour lire la plaque en laiton.

Rue Ricantén. Que diable se passait-il ?

Il me vint à l'esprit que, dans mon anxiété, j'avais peut-être confondu le numéro : c'était le cent vingt, c'est-à-dire un pâté de maisons plus loin, et je me mis à marcher rapidement sans me soucier de la sueur qui menaçait de dévaster ma coiffure et mon col de chemise.

Au numéro cent vingt ne se trouvait pas non plus la maison jaune avec sa porte vert caserne et la main de bronze tenant une boule. Elle n'y était pas davantage au deux cent vingt, et la rue se terminait un peu plus loin.

Je n'y comprenais rien. J'avais envie de maudire, d'injurier, de pleurer, de cogner le feu rouge à coups de pied, de gueuler que quelque chose ou quelqu'un était en train de me jouer un sale tour, et je dénouai ma cravate, déboutonnai mon col et me plantai devant la maison du numéro vingt.

Je frappai et une vieille manifestement de mauvaise humeur entrouvrit la porte, juste ce qu'il fallait pour qu'elle passe la tête.

— Excusez-moi, il y a ici une jeune fille qui s'appelle Isabel ?

La vieille répondit sèchement non et referma la porte.

J'en arrivai à me gifler pour essayer de retrouver la réalité perdue. La réalité, c'était la maison qui n'était pas là et les voisins sortant des petites chaises d'osier et des tables basses pour disputer des parties de brisque sous les acacias. La réalité c'était l'absence des murs jaunes, de la porte vert caserne et de la main de bronze tenant une boule, tous ces détails qui, quelque part dans le monde, attendaient vainement mon appel.

Je ne peux pas dire combien de fois je parcourus cette rue en regardant par les fenêtres pour essayer de reconnaître le salon de la fête, les lampes, le canapé sur lequel Isabel avait allongé la négligente promesse de mon bonheur, et je fumais sans arrêt jusqu'à ce qu'un nœud dans la gorge et le paquet vide que je froissais dans la main m'indiquent que le plus raisonnable était d'accepter la défaite et de revenir à la maison.

Ce que je fis. Mais, afin que mes parents ne remarquent pas mon échec, j'entrai dans le premier cinéma.

Je revins très tard à la maison. J'entrai sans allumer et m'enfermai dans ma chambre. Je ne pouvais pas dormir. J'avais besoin de tout repasser en détail pour voir si je trouvais une réponse.

Vers deux heures du matin j'entendis siffler notre signal de reconnaissance. Tino et Beto revenaient d'une fête où ils avaient fait de nouvelles conquêtes. Ils m'invitaient à partager leur triomphe et à leur raconter le mien, bien qu'ils aient considéré mon rendez-vous avec Isabel comme une petite trahison des intérêts du groupe.

J'attendis que le sifflement soit répété deux fois avant de sortir.

— Le mâle est fatigué ? La petite Isabel t'a tiré tout ton jus ? ricana Beto.

— Allons au coin de la rue, je ne veux pas réveiller les vieux.

— Tu fais une tête d'enterrement. Ne me dis pas qu'elle t'a posé un lapin, demanda Tino.

— Impossible, le rendez-vous était chez elle, ajouta Beto.

— Je vous raconte si vous promettez de ne pas me charrier. Je n'ai pas envie de vous servir de tête de turc.

Nous nous assîmes sur les marches de la boucherie. Beto offrit des cigarettes.

— Alors. Accouche. Qu'est-ce qui s'est passé ? demanda Tino.

— Rien. Il ne s'est rien passé. Rien de rien.

— Comment ça, rien ? insistèrent-ils.

Pour la première fois, je sentis que je ne les aimais pas, que je n'avais pas besoin d'eux et que ma défaite était personnelle, intime. La défaite de l'avant qui rate un penalty décisif à la quatre-vingt-dixième minute.

— Rien. Enfin… putain… rien. Je n'ai pas trouvé la maison. Je me suis perdu. Je me suis trompé d'adresse. Je ne sais plus.

Nous restâmes silencieux. On n'entendait que les bouffées des cigarettes et je me maudissais d'avoir dit la vérité.

— C'était pourtant très facile. Rue Ricantén, au vingt, fit remarquer Beto.

— Tu en es certain ? C'était bien cette rue ?

— Mais bien sûr, vieux. La semaine dernière on y est arrivés ensemble. On a cherché ensemble la maison et on l'a bien trouvée ensemble. Écoute, reconstituons le décor du crime : on est descendus du minibus au carrefour des rues Portugal et Diez de Julio. On a acheté des clopes et le pisco, puis on a marché quelques pâtés de maisons et on y était. En plus, la rue Ricantén est très courte, acheva de préciser Beto.

— J'ai fait pareil et je n'ai pas trouvé la maison. Au vingt il y en avait une autre.

— Un moment. Une petite pause pour ceux qui ont eu la méningite et qui ne sont pas encore guéris. Comment elle était cette maison ? demanda Tino.

— Laquelle ? Celle de maintenant ?

— Non, couillon. La maison de la fête.

— Jaune merdeux, avec une porte verte et un marteau de bronze.

— Et qu'est-ce que tu as trouvé aujourd'hui ?

— Une maison gris souris, avec une contre-porte.

Beto proposa de nouveau des cigarettes, tandis que Tino, qui se retenait de pouffer, se mit à fredonner :

Las pelotas, las pelotas, las pelotas de carey, a sesenta las de burro y a setenta las de buey[1].

Je fis mine de me lever, mais Beto me saisit le bras et ordonna à Tino de se taire.

— Te fâche pas, vieux, mais tu avais pas un peu picolé avant de partir ?

— Arrête avec tes conneries !

Un autre long silence s'installa, à peine interrompu par les bouffées des cigarettes ou le passage d'une voiture sur l'avenue voisine. Tino amassait des cendres du bout de sa chaussure.

— Bon. Parfois on peut confondre, on se trompe, on prend une direction au lieu de…

— Mais je ne me suis pas trompé ! J'étais rue Ricantén. J'ai lu cinquante fois la plaque. J'ai parcouru la rue entière sur chaque trottoir et je n'ai trouvé la maison nulle part.

— Calme-toi. Tu t'es trompé, voilà tout. Tu as pris une autre rue au nom plus ou moins ressemblant. Ça m'est arrivé, moi aussi, dans des quartiers que je ne connaissais pas. Ne te casse pas la tête, conseilla Beto.

— Je ne me suis pas trompé, je vous le répète. Vous croyez que j'ai reçu une tuile sur la tête, ou quoi ?

— Une maison ne disparaît pas d'une semaine à l'autre. Et si on l'avait démolie il resterait au moins le terrain. Écartons aussi les tremblements de terre, que je sache il n'y en a eu aucun la semaine dernière, ironisa Tino.

— Allez vous faire foutre.

1. Couilles, couilles, couilles de tortue, soixante celles d'âne, soixante- dix celles de bœuf.

— Tu deviens dur, mon poteau. Il vaut mieux qu'on s'arrête là, la nuit porte conseil, trancha Beto.

Ils me laissèrent seul, assis sur les marches de la boucherie. Je restai là, la tête dans les mains jusqu'à ce que la présence de chats en train de flairer mes pantalons m'avertisse de l'approche du jour. Je leur lançai des coups de pied qui ratèrent leur cible, les chats me regardèrent avec mépris et je décidai que le mieux était de rentrer à la maison.

Je dormis jusqu'à midi passé et fus réveillé par les sifflements de Tino, mais je refusai de sortir prétextant que j'étais malade. Je déjeunai au lit, de l'odieux et sempiternel bouillon de poulet que ma mère préparait en complément irremplaçable de la maladie, et pendant l'après-midi, je parvins à tenir à distance la spirale de mes pensées tourmentées grâce au soutien quadrillé du puzzle dominical de *El Mercurio*.

Le lundi, je me déclarai guéri, assistai aux cours et les jours suivants je fis quelques tentatives pour retrouver la maison perdue, mais je m'arrêtai toujours avant d'arriver à la rue Ricantén. J'avais peur. Une peur confuse de constater que la maison existait et que le samedi je m'étais égaré dans je ne sais quel mystérieux dédale. Mais je redoutais plus encore la certitude de l'inexistence de cette maison et que ce qui s'y était passé, la danse, Isabel, le goût de son corps, les fourmis, le désir, fasse partie d'une machination incompréhensible.

Un rêve augmenta ma peur.

Je crois que ce fut la nuit du mercredi où je rêvai que j'arrivais à la maison pour déjeuner et voyais ma mère mettre seulement trois couverts à table.

« Papa ne mange pas là ? »

« Qui ? »

« Papa. Je te demande s'il ne vient pas déjeuner. »

« Tu te trompes. On a toujours été trois à la maison. Ton frère, toi et moi. »

« Ce n'est pas vrai. Papa était avec nous hier soir pour le dîner. Sa place est là, près de la radio. »

« Tu délires. On a toujours été trois dans cette maison. »

Je tremblais à l'idée que la maison introuvable soit le début d'une série de disparitions, et en voyant Lalo le maboule, le fou du quartier, un grand gaillard d'âge incertain, marchant la bouche ouverte et le regard vide, indifférent aux mouches qui se disputaient sa bave, aux insultes et aux pierres que lui jetaient les enfants, je me demandais si sa folie n'avait pas elle aussi commencé par un paradis perdu que ce pauvre idiot continuait à chercher sans trêve.

Le vendredi je revis mes amis, ou plutôt ce sont eux qui vinrent me voir.

— On t'apporte de bonnes nouvelles. Betofen est tombé sur un petit oiseau. Tu piges ? dit Tino en guise de salut.

— Isabel ?

— Bonne réponse du candidat ! Qui gagne un gage d'amitié ! s'exclamèrent-ils en m'accablant de bourrades dans le dos.

— D'accord. Punition acceptée. Racontez.

— Hola ! Comme ça ? Sans anesthésie ? Tu te rends compte, Tino ? Il se prend pour Speedy Gonzalez. On te raconte les nouvelles à trois conditions. La première : il n'y a rien de potable dans cette maison ?

Comme toujours, la cave de mon père paya les pots cassés. Je sortis de la pièce et revins avec une bouteille de pisco et des verres.

— Désolé, mais il n'y a plus de citrons, il faudra le boire sec. Alors, ce chantage ?

— Export ! Dis donc, il en bave ton vieux, il se mine ! Tino dégustait le pisco et claquait la langue.

— Deuxième condition, comme disent les chanteurs argentins. Tu dois reconnaître avec noblesse que tu es plus couillon que le type qui s'est laissé devancer par la tortue, parce que dans le cas contraire, il faudrait admettre que les maisons disparaissent, se perdent, sont emportées par de petits hommes verts, enfin, comme ça, hop, et elles s'évanouissent.

Ils riaient tellement que je finis par les imiter

— D'accord. Je me suis trompé. Je suis un couillon et plus encore. J'ai peut-être besoin de lunettes ou d'une boussole.

— Une boussole ? Plutôt de bonnes guibolles, de bonnes grolles et de la bonne gnôle ! cria Beto.

— J'ai dû lui passer ma méningite, dit Tino.

On suait à grosses gouttes tellement on riait, et je sentais que je les aimais, que j'avais besoin d'eux. C'étaient mes copains. Mes frères.

— Videz votre sac, grands connards.

— Pas d'insultes. On est entre gentlemen. La troisième condition est que tu ne donnes plus de rendez-vous le samedi, sauf si tu as l'intention de violer le règlement du club de Tobi.

— Promis. Les samedis seront réservés au club.

— La vie est vraiment dure par ici ! Un régal, ce petit pisco ! Allez Betofen, raconte-lui où, quand et comment tu l'as vue. Regarde son air de martyr.

— Du calme. Je ne veux pas être responsable d'un infarctus. Ouvre tes esgourdes : je me suis retrouvé nez à nez avec elle à la porte Fernández Concha, au moment précis où j'allais au Ravera avec l'intention de déguster une pizza, vous savez, cette contribution culinaire des ritals, composée de pâte, de fromage et de tomate.

— Et d'origan, fit remarquer Tino.

— Pas possible. Il y a aussi de l'origan ?

— Sûr. Pour l'odeur.

— Incroyable comme on ne cesse d'apprendre dans la vie.

— Tu peux te la mettre au cul, ta pizza.

— Patience. Avec patience et un peu de salive, un éléphant s'est envoyé une petite fourmi. Je continue ? Elle ne m'a même pas laissé le temps de lui dire bonjour, elle voulait de tes nouvelles, et, écoute-moi bien, couillon, elle ne sait pas que tu as raté le rancard, enfin, d'après ce que tu as dit. Elle n'a pas pu t'attendre à la maison parce qu'on l'a obligée à rendre visite à un parent malade. Il faudrait les zigouiller ces parents casse-couilles. Elle m'a demandé si tu étais fâché et naturellement je lui ai répondu que oui, que tu détestais les gens qui ne tiennent pas leurs promesses, ceux qui laissent leur prochain planté au coin d'une rue avec un bouquet de fleurs et des yeux de merlan frit. Tu aurais vu, vieux. Elle s'est répandue en excuses. Elle a même laissé couler quelques larmes et m'a demandé de te dire qu'elle t'attendrait ce samedi à la même heure. Et tu sais ce que je lui ai répondu ? « Je regrette, ma jolie, mais il me semble que samedi il a un rendez-vous impossible à annuler. » Elle est devenue blême, la minette, mais elle a insisté en proposant dimanche. Alors, j'ai bombé le torse et je lui ai dit d'une voix de prof : « Mon petit, le dimanche est un jour que nous consacrons au sport. Vous avez sûrement observé que nous sommes très sains, non ? Très sportifs, mais je le lui dirai quand même, peut-être il pourra s'échapper un instant pour venir vous voir. » Putain de veinard ! Qu'est-ce que tu lui as fait à cette minette ? Et maintenant accroche bien tes pantalons, parce qu'arrive le plus dramatique : elle m'a écouté attentivement, m'a pris les mains et, les yeux pleins de larmes elle m'a supplié, elle m'a supplié, vieux ! Elle avait tant de peine que je me sentais un peu honteux à cause des regards que me lançaient les passants. Ils avaient l'air de penser que je lui faisais du mal à cette minette. Elle m'a supplié : « Dites-lui que je l'attends dimanche, à l'heure qu'il voudra, à cinq heures, sept heures, même plus tard. Je ne bougerai pas de la maison. S'il vous plaît, dites-lui qu'il vienne. » Je m'en suis bien tiré, hein ?

J'enlevai la bouteille à Tino et je remplis les verres.

— Putain, tu es vraiment un sacré finaud, Betofen ! Tu t'es débrouillé comme un chef ! À la vôtre, compadres !

— Mais cette fois, note bien l'adresse. Vingt rue Ricantén, grand couillon ! lancèrent-ils en chœur, et ils s'en allèrent.

Quand on est jeune on fait confiance aux chaînes logiques, et à ce moment-là, je sentis que la mienne possédait de nouveau tous les chaînons. Je passai le temps à compter les heures qui me séparaient d'Isabel. Je repensai maintes fois à l'itinéraire qui me conduirait à elle, jusqu'à la preuve que je n'étais pas un imbécile. J'y arriverais. Cette fois j'y arriverais.

« Voyons. Je prends le minibus au carrefour de Vivaceta et de Rivera, à l'arrêt des départs pour le centre. Premier détail important. Je monte. Le minibus roule jusqu'à la rue Pinto, tourne à gauche et continue tout droit pendant quatre pâtés de maisons en passant devant des pharmacies, des marchands de limonade, des buvettes, des fabricants de glace et la droguerie de don Pepe, l'Espagnol qui se met en rogne chaque fois qu'un client entre dans sa boutique. « Don Pepe, un demi-litre de javel. Bordel, c'est pas une heure pour venir acheter un demi-litre de javel. Don Pepe, une savonnette Copito. Bordel, pas moyen d'écouter en paix la putain de zarzuela du jeudi. » Don Pepe. Détail important. Après la droguerie, j'arrive avenue Independencia et si je veux, je descends, mais il vaut mieux continuer un peu plus loin, jusqu'à l'église des carmélites. Là, je descends. Détail important. Je marche vers la montagne en traversant la Pergola de las Flores, je marche rapidement en retenant ma respiration pour ne pas contaminer mon amour avec des odeurs de mort. En arrivant avenue Recoleta, je m'arrête devant la caserne des pompiers. J'attends et je prends un bus de la ligne Portugal-El Salto en direction du sud. Détail important. Je monte. Le bus traversera le centre par la rue Mac Iver. En arrivant à la Alameda, en face de la Bibliothèque Nationale, il prendra à gauche et je pourrai voir les jardins de Santa Lucía et la lettre gravée de don Pedro de Valdivia. Puis le minibus prendra au sud par la rue Portugal. Vers le numéro sept cents, j'actionne le signal d'arrêt, un curieux mécanisme composé d'une sonnette de bicyclette et d'une ficelle tendue d'un bout à l'autre du véhicule. Je descends au coin de la rue Diez de Julio. Détail important. Je recule d'un pâté de maisons vers le nord, puis j'en remonte deux vers l'ouest. Là, je suis sûr d'arriver. Au numéro vingt de la rue Ricantén je trouverai la maison jaune, la porte verte et la main de bronze tenant une boule. Je sonnerai trois fois et Isabel m'ouvrira. Isabel. Plus tard, je lui raconterai tout. Plus tard. En sortant du cinéma Gran Palace. Je crois qu'ils passent *Lawrence d'Arabie*. Le Gran Palace est si joli, et frais, avec ses murs décorés de spoutniks qui paraissent flotter dans le cosmos pendant les jeux de lumière avant la séance. Ou peut-être je ne lui raconterai rien. Ce serait stupide. Elle ne me croirait pas. Ou je lui raconterai quand nous serons mariés. Mariés ? Du calme, petit. Je vais me marier avec Isabel ? Calme, petit. Calme. Bien sûr que je dois d'abord finir mes études. Comment Tino et Beto vont le prendre ? Je me marie, les gars, je suis arrivé à l'heure où meurent les braves et on voudrait que vous soyez nos témoins. Isabel. On fera une de ces fêtes. Calme, petit. Se marier ? Il a peut-être raison Tino quand il dit que seuls les crétins se laissent mettre le grappin dessus. Je suis un crétin ? Et qu'est-ce que j'en ai à faire ? »

Le dimanche me surprit réveillé bien avant le jour, et pendant le repas de midi je ne cessai de parler, au grand étonnement de mes parents.

— Doucement. Tu risques de te couper un doigt avec ton couteau, me conseilla mon père pendant qu'on ouvrait les moules du dimanche.

Je les engloutissais l'une après l'autre sans cesser de dire combien elles étaient bonnes et fraîches. Les moules se tortillaient sous les gouttes de citron ;

— C'est la douleur, dit ma mère, opposée aux fruits de mer crus.

— Tu parles. Elles aiment ça. Regarde comme elles dansent, insistais-je.

Mes vieux se regardaient, parlaient des fièvres qu'on a à dix-huit ans et mon petit frère se lamentait d'avoir un crétin dans la famille.

Vers les cinq heures de l'après-midi j'émergeai de ma sieste. La chaleur avait un peu diminué, mes parents et mon frère dévoraient une pastèque sous la treille tandis que j'étalais sur le lit ma tenue de chevalier servant, c'est-à-dire l'uniforme du Chilien.

Les pantalons gris marengo impeccablement repassés, la chemise blanche avec les baleines dans les pointes du col, le blazer bleu marine et la cravate oxford, cadeau récent de mon oncle Aurelio qui, selon ses propres termes, me faisait paraître plus élégant qu'un cheval de course. Tout cela complété par des chaussures lustrées et les trois mouchoirs de rigueur : le blanc, parfumé, glissé dans la poche supérieure de la veste, plié de manière à former trois pointes bien voyantes, et toujours à la disposition des dames ; celui de la poche gauche du pantalon, à usage personnel, destiné à la morve, et finalement, celui de la poche arrière, qui servait de rechange et à ôter la poussière des sièges ou à restaurer le lustre des chaussures.

— Les rendez-vous dominicaux sont des choses graves, dit mon père en enfouissant un billet dans ma poche.

— Ne rentre pas trop tard. Demain tu as classe, fit remarquer ma mère, toujours réaliste.

Le trajet se déroula comme je l'avais imaginé, un pâté de maisons après l'autre, détail après détail, jusqu'à ce que je descende du minibus à l'angle de la rue Portugal et de la rue Diez de Julio. C'est alors que je vis l'étranger.

C'était un type aux longs cheveux blonds et au teint pâle, qui avec ses jeans délavés et son blouson me parut terriblement mal habillé. Il portait un sac de photographe en bandoulière.

En attendant que le feu passe au vert, je me plaçai derrière lui et l'observai en train de s'éponger la sueur avec un mouchoir froissé. Nous traversâmes la rue et je le vis entrer dans la boutique où je comptais acheter des cigarettes, si bien que je le suivis.

Dans un espagnol hésitant il demanda des cigarettes sans filtre.

— Quelle marque ? demanda le vendeur.

— Je ne sais pas. Les plus fortes.

— Blondes ou brunes ?

— Donnez-lui des libertys, c'est les meilleures, intervins-je.

L'étranger me remercia d'un geste, prit les cigarettes et fouilla dans ses poches. Il s'excusa de ne pas trouver l'argent et posa son sac sur le comptoir. Il l'ouvrit. Il contenait deux appareils, il prit une chemise pleine de papiers et de photos, parmi lesquels il y avait des billets. Il paya et, alors qu'il remettait la chemise dans le sac, une photographie tomba par terre. Je me penchai pour la ramasser.

C'était Isabel, du moins en partie. Je reconnus la robe, ses jambes, ses bras et le canapé où elle était assise : c'était celui sur lequel elle avait étendu pour moi la plus douce des promesses. C'était Isabel, bien qu'on ne vît pas son visage, voilé par une tache de lumière. Je rendis la photo à l'étranger et nous sortîmes ensemble de la boutique.

Dans la rue, je vis que ses mains tremblaient et qu'il était incapable d'allumer sa cigarette. Je lui donnai du feu et acceptai une cigarette. Nous commençâmes à marcher presque coude à coude.

— Tu… comment dire ?… tu connais par ici ?

— Peu. Très peu. Tu cherches quelle rue ?

— Quelle rue ? Euh… Ricantén… c'est comme ça qu'elle s'appelle.

— Ricantén. Moi aussi je vais par là-bas.

— Très bien. Alors on y va ensemble.

— Tu vas voir la fille de la photo, pas vrai ?

— Tu… tu… la connais ?

Si je la connaissais ? Son odeur, sa saveur la plus secrète étaient encore en moi, les formes de son corps, sa voix, son invitation au plaisir, mais est-ce que je la connaissais ?

— Elle s'appelle Isabel.

— Écoute… il faut qu'on parle… Toi et moi il faut qu'on parle, tu comprends ? dit-il en s'épongeant le front.

— Tu vas me dire que tu cherches une maison jaune avec une porte verte.

— Oui ! Tu la connais cette maison ? Dis-moi que tu connais cette maison !

— Avec une main de bronze tenant une boule.

Alors l'étranger porta ses mains au visage. Puis il les baissa et il y avait quelque chose d'implorant dans son regard.

— Écoute… on y va ensemble… c'est ridicule mais…

— Tu as peur de ne pas trouver la maison.

L'étranger tenta de m'attraper par les revers de la veste, mais je fus plus rapide et je m'enfuis. Je m'enfuis à toutes jambes. Et à la fin, exténué, je m'assis sur un petit banc de cireur de chaussures. Mes chaussures étaient propres mais je laissai l'homme les cirer en priant pour que son travail dure des heures.

Quelque chose se brisait. Délicatement quelque chose se brisait. Une main invisible travaillait mon visage, modelait le masque définitif que j'allais trouver dans les miroirs.

Le cireur frappa mes semelles signalant qu'il avait fini. Je payai et me mis à marcher insouciant vers la rue Ricantén.

La maison grise, la contre-porte à l'anglaise, la sonnette et son bouton usé de bakélite ne m'étonnèrent pas. Je passai une seule fois devant la porte et poursuivis mon chemin jusqu'à un cinéma.

Mutinerie à bord. Tandis que Marlon Brando gagnait le cœur de Tarita, je m'installai dans un fauteuil du premier rang pour être certain d'être seul et là je pleurai mes premières larmes d'homme, pressentant que s'ouvrait devant moi un chemin semé de doutes, d'échecs, de bonheurs éphémères, tous les ingrédients de la catastrophe qui, cependant, rendent possible l'odieuse fragilité de l'être. Je pleurai avec douceur, presque avec méthode, et les larmes me montraient en une vision rétrospective un sentier de dix-huit années que j'avais parcouru de surprise en surprise et où je ne retournerais jamais. Dans mon mouchoir blanc et parfumé coulaient des larmes où se mêlaient la première douleur de ce qui n'avait pu être et la joie têtue de la beauté de ce qui aurait pu être.

Je ne revis pas mes amis. L'appel sifflé de Tino et Beto retentit plusieurs nuits, mais je refusai de sortir. Le matin, je quittais la maison de très bonne heure et rentrais le plus tard possible. Le sifflement devint chaque fois plus ténu, plus faible, sans enthousiasme, jusqu'à ce qu'il disparût remplacé par le vent d'automne, les brouillards de l'hiver, les bruits des voitures, les voix des enfants qui grandissaient et s'emparaient de la rue et de son coin.

Je les vis parfois sortir d'un bar, mais je les évitai et m'éloignai.

Avec la succession vertigineuse des calendriers arrivèrent de nouveaux amis, de nouvelles façons d'égayer les nuits et de vaincre l'ennui. Parfois, en passant au coin de la rue – notre coin de rue –, les marches de la boucherie me faisaient mal comme un deuil récent. Mais je les oubliais rapidement. Très rapidement. Les chevaux désabusés ne regardent pas les bas-côtés du chemin.

Oui. C'était bien la maison.

En regardant la photographie, je pensais au laconisme pathétique de la biographie de C.G. Hudson.

Hudson avait-il pris la photo la première fois qu'il avait vu la maison ? Ou après notre éphémère rencontre ? Tino et Beto avaient-ils revu les filles de la fête ? Et les propriétaires de la maison ? Et Isabel ? Tout cela n'avait-il été qu'un jeu de dieux qui s'ennuyaient ? Hudson avait-il pris la photo avant d'entrer la deuxième fois dans cette maison en sentant qu'il devait laisser un témoignage ? Isabel avait-elle été la plus belle négation des rêves ?

La femme de ménage me tira de mon puits d'autisme en me disant que le gérant de la galerie n'habitait pas très loin et que si c'était important, elle pouvait m'y conduire.

Je la remerciai et lui dit que ce n'était pas la peine et que je me contenterais de l'information du catalogue.

Ma gabardine était encore trempée. Je la mis sur mes épaules et sortis. Il ne pleuvait plus. Le ciel de Zurich était diaphane, transparent. Il avait la netteté de la photographie de Hudson qui au bout de tant d'années s'excusait du bonheur ou du malheur – je ne sais ni ne veux le savoir – de m'avoir envoyé une invitation peut-être trop prompte, ou peut-être adressée à un destinataire qui n'était pas le bon.

À propos de quelque chose que j'ai perdu dans un train

L'enfance est la capitale de l'écrivain.

Graham Greene

Ce lieu me paraissait le bout du monde et l'était d'une certaine façon, du moins pour le train. À l'extrémité des voies, qui s'interrompaient sans avertissement, se dressait une barrière de traverses barbouillées de cambouis, occupée par de vieilles mouettes à l'œil impassible, indifférentes à l'agitation des voyageurs, et qui nourrissaient leur grise décrépitude des reliefs du wagon-restaurant, et cela – j'aimais à le croire – tout en pensant.

Je n'ai jamais été sûr que ces mouettes-là pensaient, mais moi, en revanche, je m'envolais à tire-d'aile.

J'aimais imaginer le mécanicien endormi et il me suffisait de fermer les yeux pour voir le convoi poursuivre sa route en défonçant la barrière de traverses dans des gémissements de vieux bois, de boulons cassés et de cris de mouettes, et se précipiter dans la mer où il s'enfonçait comme un gros animal paresseux et distrait pour continuer le voyage à travers d'obscurs paysages sous-marins.

À cette époque je n'avais du monde qu'une connaissance fragmentaire : je savais qu'au-delà de la barrière s'ouvrait le canal de Chacao et que plus loin encore il y avait Chiloé, l'archipel, les centaines, les milliers d'îles, de passes étroites et bordées de récifs tranchants comme des crocs, et de plus en plus d'îles, de rochers et d'îlots qui se prolongeaient en éclaboussures vertes jusqu'aux confins de la planète.

Je savais aussi qu'à l'est s'étendait le continent, coupé par les basses cordillères, les glaciers, les fjords qui ouvraient des cicatrices d'eau sur lesquelles, pendant les durs hivers patagoniens, naviguaient des bateaux fantômes : galions de l'époque coloniale ou transatlantiques hauts comme des cathédrales, pilotés par des êtres qui ignoraient leur destin de vagabonds emportés un jour par l'étreinte polaire.

Je savais aussi qu'il n'y avait quasiment pas de routes sur le continent, et les rares qui existaient, praticables pendant le court été, étaient interrompues la majeure partie de l'année par de violentes et soudaines crues ou par des cascades gelées.

Mais tout cela, je le savais par ouï-dire, et je rêvais du monde qui s'ouvrait au-delà de ce bout du monde signalé par la barrière de traverses graisseuses interrompant la voie ferrée.

Mon père me promettait qu'un jour, par beau temps, nous louerions un bateau et demanderions au patron chilote de nous emmener à la voile dans les canaux où régnaient les dauphins et s'accouplaient les folâtres baleines Calderón. Il me suffisait d'entendre le nom des lieux pour les voir : golfe de Corcovado, baie Desolación, golfe des Peines, Ultima Esperanza, passe de Drake. Territoires uniquement habités par la danse fantasmagorique des aurores boréales.

Mais il me fallait attendre ce voyage dont je rêvais. Je venais d'avoir quatorze ans et pour mon père j'étais encore un enfant.

« Quand est-ce qu'on ira ? », lui demandai-je un jour.

Il me répondit qu'on irait là-bas dans deux ou trois ans et continua de nourrir mon rêve par des détails fabuleux sur ce monde créé pour les aventuriers.

C'était à tout cela que je pensais assis sur la valise. Je regardais la barrière, les mouettes, les gens et mon père qui s'éloignait vers le kiosque de la gare pour y acheter des cigarettes et peut-être des illustrés pour moi. Je le vis s'arrêter et entrer en conversation avec des cheminots. Presque tous le connaissaient et l'appréciaient. Il y avait des années qu'il faisait le trajet de Santiago à Puerto Montt et c'était la cinquième fois que je l'accompagnais.

Les mille quatre-vingts kilomètres entre les deux villes, nous les parcourions d'une traite. À l'arrivée, nous louions une chambre dans une pension d'émigrés yougoslaves et, le lendemain, nous traversions le canal de Chacao à bord du ferry. À Ancud nous attendait une chaloupe qui nous transportait jusqu'aux îles des viviers. Là, mon père entamait des négociations, entrecoupées de blagues et d'imprécations contre le gouvernement, avec les Basques qui élevaient des coquillages.

J'aimais bien voir les Basques nous montrer leurs richesses ; ils retiraient de l'eau des tresses de cordes et d'algues où s'accrochaient et grandissaient les coquillages, les *locos*, les *cholgas*, les énormes *choros zapato*, des moules à la savoureuse chair orangée, de la taille d'un pied d'adulte. Les négociations se concluaient par quelques verres de txacoli, plus fiables qu'une quelconque signature, et ainsi était assuré l'approvisionnement en fruits de mer de première qualité du restaurant que mon père tenait à Santiago.

Pendant le voyage de retour nous nous arrêtions dans plusieurs villes, chacune possédant ses secrets culinaires. À Chillán, les viticulteurs, descendants d'Espagnols, nous attendaient avec leurs barriques d'eau-de-vie de marc, de la saucisse sèche et du chorizo maison ; à Concepción, les producteurs de l'âpre vin *pipeño* ; à Linares ou San Javier, les bons moûts des vignobles de l'archevêché, ou la pétillante chicha en avant-goût des futurs crus ; à Talca, les délicieuses fricassées de dindonneau et les cailles d'élevage.

Je le regardais faire. Bien plus que père et fils, nous étions des amis. J'aimais le voir fermer les yeux lors des dégustations, comme pour emporter le secret du vin jusqu'à un intime et lointain recoin du palais. Puis il recrachait avec une expression pensive, un hochement de tête lui suffisait pour manifester son approbation et l'affaire se concluait par une poignée de mains. « Tu as vu ? Le bon vin, la terre l'avale sans laisser d'auréole. Un jour, ce sera ton tour de venir déguster. Enfin, si tu as envie de prendre la suite. »

Le rire retentissant de mon père m'arracha à mes pensées. Un inconnu le saluait avec effusion. Il me fit un signe et je m'approchai d'eux.

— Je vais au bar pour parler avec ce monsieur le temps d'un petit vin. Prends, dit-il en me tendant deux illustrés.

Je repartis vers la valise en feuilletant les revues sans enthousiasme. Ce n'était pas un mauvais choix : une aventure du capitaine Brick Bradford et une autre des Faucons Noirs. J'adorais lire dans le train en mangeant des noisettes grillées.

Le convoi prit lentement position le long du quai. Il roulait en marche arrière et le wagon de queue frôla la barrière. Un ouvrier juché sur les marches de la dernière voiture leva une main gantée et le train s'arrêta. Les portières furent ouvertes et les premiers passagers commencèrent à monter.

Nous avions des places réservées et comme il restait une demi-heure avant le départ, je continuai à feuilleter les illustrés : le capitaine Brick Bradford voyageait dans le tunnel du temps ; avec lui, sa fiancée, Dalia, et l'incomparable docteur Zarkov, le savant capable de résoudre tous les problèmes.

Je ne remarquai la présence des deux individus que lorsqu'ils furent quasiment au-dessus de moi. Celui qui paraissait le plus âgé grimpa dans le wagon et, à mesure qu'il gravissait les marches, je vis que son bras gauche s'allongeait comme s'il ne voulait pas suivre. Puis, en effet, le bras se raidit après une brève secousse. Les deux hommes étaient reliés par une chaîne, et le plus jeune restait planté sur le quai, le bras droit tendu.

— Allez. Ne me complique pas la vie. Monte, ordonna celui qui était en haut des marches.

— Une minute, il faut que j'aille aux toilettes, répondit celui d'en bas.

— Monte. Tu pisseras dans le wagon.

— C'est interdit d'utiliser les toilettes quand le train est à l'arrêt.

Celui d'en haut mit un terme à la discussion par une forte secousse à la chaîne qui fit tituber celui d'en bas. L'homme se rétablit agilement et en montant remarqua ma présence. Il me salua d'un sourire en haussant les épaules.

Il s'agissait d'un policier et d'un prisonnier. Des policiers j'en avais vus beaucoup, mais c'était la première fois que je voyais un prisonnier.

En attendant mon père, je ne pus cesser de penser à cet homme. Il me semblait bon. Je ne sais pas pourquoi. Bon et injustement arrêté. C'était peut-être un contrebandier. J'avais souvent entendu dans la bouche des insulaires un mot que je trouvais magique : *estraperlo*[1]. Ils l'employaient pour parler de mystérieux paquets jetés par-dessus bord de bateaux sans lumières ni pavillon, et qui étaient récupérés un peu plus tard par des barques mises à l'eau à la faveur du brouillard et de la nuit.

« Trois types. Tu les aurais vus ! Deux qui ramaient sans relâche, fendant les vagues de biais, tandis que le troisième actionnait de toutes ses forces la pompe à écoper car la mer embarquait à chaque creux. Les vagues les empêchaient d'atteindre le paquet et ils étaient tout près de la ceinture de récifs. Tu les aurais vus ! Nous, on leur gueulait : « Vous êtes cinglés ! Attendez que la marée descende ! Vous allez vous tuer contre les rochers. Tout à coup, celui qui était à la pompe se jette à l'eau et commence à nager, comme un dauphin. Respiration, deux, trois, quatre brasses ; respiration, deux, trois, quatre brasses ; respiration. Jusqu'à ce qu'il arrive au paquet et le ramène à la barque. Tu les aurais vus ! Ces types avaient les couilles bien accrochées. Ensuite, ils ont mis le cap au large et l'obscurité les a avalés. »

Les gens des îles évoquaient les contrebandiers avec respect, un respect émaillé d'admiration et d'envie.

Cet homme était peut-être un contrebandier qui n'avait pas réussi à s'enfuir dans l'obscurité. Ou un bandit. À cette époque on racontait encore des histoires de bandits d'honneur dans le sud du Chili.

1. Marché noir.

Parfois surpris par de violentes averses, nous étions obligés de demander l'hospitalité aux insulaires chez lesquels j'entendais parler de fascinants cavaliers vêtus de longs ponchos, qui chevauchaient dans les basses cordillères, portaient le « choco », la Winchester à canon scié, glissée dans une botte et convoyaient du bétail volé en Argentine par des sentiers qu'ils étaient les seuls à connaître. Ils récompensaient généreusement ceux qui leur offraient un toit ou des informations sur les carabiniers de la frontière. Quand un nouveau-né recevait en cadeau de baptême un veau de race, remis par des mains anonymes, tout le monde savait que le parrain était un bandit. Et tous parlaient d'eux avec vénération et attendaient leur venue comme la bonne fortune.

L'homme enchaîné était peut-être un de ces cavaliers.

Je ne remarquai le retour de mon père que lorsque je sentis sa main dans mes cheveux.

— Tu es dans la lune ?

— Je pensais.

— Ça fatigue. Je connais des types qui ont des varices au ciboulot. Allez, viens, on monte, il reste peu de temps.

Nous montâmes à la recherche de nos places et je me sentis frémir en constatant qu'elles se trouvaient juste en face des deux hommes. Mon père semblait avoir un peu forcé sur le vin avec son collègue, car à peine fut-il assis qu'il croisa les jambes et laissa tomber le bord de son chapeau sur ses yeux.

Le prisonnier m'adressa un nouveau sourire. En voyant que j'ouvrais la bouche pour répondre à son salut, il désigna d'un geste mon père qui respirait placidement et porta sa main libre aux lèvres pour suggérer le silence. Le policier lisait un journal. Il le tenait plié dans la main droite tandis que la gauche reposait sur le siège. La chaîne qui liait les deux hommes brillait comme une peau de reptile.

Dès que le train s'ébranla, mon père préféra rester éveillé. Il ôta son chapeau, le posa sur la grille et, en cherchant ses cigarettes, remarqua les deux hommes et comprit la situation. Il me rassura d'un clin d'œil.

— Ces messieurs fument ? demanda-t-il en tendant son paquet de cigarettes.

Celui qui lisait répondit par un laconique « Non, merci » sans lever les yeux de son journal. Le prisonnier tendit la main gauche et prit une cigarette, puis leva sa main droite enchaînée pour faire comprendre qu'il ne pouvait pas l'allumer. Mon père gratta une allumette et protégea la flamme entre ses mains en s'inclinant. Le prisonnier aspira avec plaisir. Il souffla deux gros jets de fumée par les narines et dit :

— Merci beaucoup, monsieur. Vous ne pouvez pas savoir à quel point ça me manquait.

Il avait parlé avec une lenteur que je n'avais jamais entendue chez personne, comme traînant les mots en un long voyage à travers tout son organisme avant de les conduire à la bouche.

— De rien. Les cigarettes et le vin, c'est fait pour être partagé, répondit mon père.

Ils fumèrent en silence tandis que le policier restait plongé dans la lecture du journal. J'ouvris un illustré, celui des Faucons Noirs, et tentai de m'intéresser à l'histoire.

Je n'y arrivais pas.

J'imaginais cet homme en train de ramer sur un petit sloop, dans l'obscurité, au mépris de la mer démontée et des sorcières qui murmurent dans le sillage du *Caleuche*, veillant à ce que nul navigateur compatissant ne vienne délivrer l'équipage de ce voilier fantôme de la malédiction qui le condamne à errer éternellement dans les canaux sans jamais retrouver la liberté du grand large ; je l'imaginais aussi galopant dans les cordillères escarpées, les sabots de son cheval enveloppés d'étoupe afin de ne pas laisser de traces, et c'était bien plus captivant que les aventures de ces aviateurs vêtus d'uniformes nazis. Et puis quelque chose d'inexplicable me faisait penser que cet homme se moquait du policier. Il le méprisait, jouait avec lui en attendant le moment propice pour prendre la fuite. J'eus alors la certitude qu'il avait des compagnons, oui, j'en étais sûr. De fidèles compagnons qui, informés de son arrestation – car il avait été trahi – étaient descendus des montagnes déguisés en paysans et se préparaient, peut-être à l'instant même, à attaquer le train afin de le libérer. Ensuite ils régleraient son compte au traître…

Je me surpris brusquement à le regarder et lui me gratifia d'un nouveau sourire amical en même temps que sa voix lente et pleine d'assurance me faisait tressaillir.

— Vous avez quel âge, compatriote ?

— Qua… quatorze, m'entendis-je répondre d'une voix désastreusement aiguë.

— Eh bien, on vous en donne plus. Je parie que vous montez bien à cheval.

Avant de répondre, je regardai mon père et je vis à son expression que je pouvais le faire. J'avais envie de parler au prisonnier, de lui dire que, oui, je montais pas mal, et même à cru, Floridor, bien sûr, un bon vieux canasson qu'on m'avait offert pour mon dixième anniversaire et dont s'occupaient les cousins de Temuco, mais je ne pus rien dire parce que le policier m'interrompit avant que j'ouvre la bouche :

— Écoutez, monsieur. Pour éviter des complications, je dois vous dire que cet individu est un prisonnier et qu'il est sous ma responsabilité. Et comme il est au secret, il ne doit ni ne peut parler à personne jusqu'à ce que le juge en décide autrement. On s'est bien compris ?

Mon père se contenta de hausser les épaules et le prisonnier m'adressa un grand sourire qui me sembla à double sens : amical pour moi et plein de mépris pour l'autre.

Le voyage se poursuivit en silence. L'express Puerto Montt-Santiago ne s'arrêtait pas dans les petits villages. Il les traversait en faisant hurler la grosse voix de son sifflet pour saluer les vendeuses habillées en blanc.

Nous avions parcouru une centaine de kilomètres lorsque le prisonnier s'adressa au policier.

— J'ai besoin d'aller aux toilettes.

— J'y vais d'abord.

Le policier sortit une clé de son gilet, ouvrit les menottes et libéra sa main ; il obligea le prisonnier à se lever et l'enchaîna au porte-bagages. Puis il s'engagea dans le couloir d'une démarche vacillante à cause du roulis. Le prisonnier voulut s'asseoir en maintenant son bras levé mais la chaîne était trop courte et il n'y parvint pas. Je le vis crisper sa main libre, humilié, et je crois que mon père le vit aussi, car il se leva et lui glissa un paquet de cigarettes dans la poche de sa veste.

— Merci, monsieur. Il y a des gestes qui ne s'oublient pas.

— Moi, je n'ai rien vu. On n'a qu'à me fouiller, dit mon père en rabaissant son chapeau sur ses yeux.

Peu après le policier revint. Tirant le prisonnier par la chaîne, il l'accompagna jusqu'à la porte des toilettes.

Je touchai le bras de mon père.

— Tranquille.

— Cet homme, tu crois que… ?

— Tranquille. La vie est compliquée.

— Mais… l'autre…

— Tranquille. Chacun sait où le bât blesse.

Les premières ombres du soir enveloppèrent le convoi et les lumières furent allumées. Un employé passa en se dandinant comme un pélican et commença à prendre les réservations pour le wagon-restaurant. Nous ne nous inscrivîmes pas. Dans quelques heures nous arriverions à Chillán, où nous attendrait comme de coutume un dîner somptueux. Le policier, en revanche, indiqua que lui et son prisonnier dîneraient tout de suite.

Nous restâmes en face des sièges vides. Mon père somnolait et je luttais contre l'engourdissement provoqué par le roulis du train. Il fallait à tout prix que je sois éveillé quand les compagnons du prisonnier arrêteraient le convoi dans une courbe. Comment allaient-ils s'y prendre ? Dévaliseraient-ils les voyageurs ? Pas nous en tout cas. Le prisonnier leur dirait que nous sommes des gens de confiance et leur montrerait les cigarettes que mon père lui avait données. Non. Non, ils ne dévaliseraient personne. « Les bandits sont nos derniers hommes d'honneur de la cordillère », avais-je entendu de la bouche d'un insulaire. Comment seraient ses compagnons ? Comme lui qui m'avait respectueusement vouvoyé, tel un adulte, et en plus appelé compatriote ? Il lui avait suffi d'un coup d'œil pour savoir que j'étais un bon cavalier, bien que je n'aie jamais monté que Floridor, mon efflanqué, indolent et noble cheval qui ne rechigne jamais et que je monte à cru, comme m'ont appris à le faire les cousins de Temuco, à la chilienne, sans incliner le corps sur le garrot à la manière de ces tapettes d'Anglais, mais le torse bien droit face au vent. Et le prisonnier avait vu tout cela au premier coup d'œil. Oui, c'était bien un de ces cavaliers qui traversent les Andes par des sentiers secrets, enveloppés dans de longs ponchos et armés de leur Winchester à canon scié glissée dans la botte. Et ses compagnons étaient aussi des hommes courageux, plus courageux encore que le capitaine Brick Bradford et les Faucons Noirs, que Sandokan, le Tigre de Malaisie, et le Coyote, mes modèles à cette époque. Aussi courageux que les légendaires frères Neira, les compagnons du guérillero Manuel Rodríguez. Les frères Neira, ils étaient cinq, pas un de plus, mais ils avaient terrorisé les troupes espagnoles du capitaine San Bruno. Dans quelle courbe attendraient-ils ? Placeraient-ils un gros tronc d'arbre en travers de la voie ? Ils auraient sûrement prévu un cheval pour le prisonnier, un azabache nerveux qui ne se laissait monter par aucun autre cavalier. Et s'il m'emmenait avec lui ? Et s'il me demandait de partir avec eux dans la cordillère, là-bas où vivent les condors ? Comment mon père, ma mère et mes frères prendraient ça ?

— Tenez, compatriote, votre revue est tombée.

Honteux, je pris l'illustré qu'il me tendait et feignis de dormir, mais je ne cessai de l'observer du coin de l'œil. Le temps passait et les kilomètres. Ses compagnons hésitaient sur le lieu le plus approprié pour l'attaque, mais lui restait tranquille. Il avait confiance en ses hommes. Peut-être savait-il qu'ils attendaient que la nuit soit plus avancée.

La plupart des voyageurs dormaient. Le policier tira ostensiblement sur la chaîne, allongea les jambes et se couvrit le visage de son journal. Alors, le prisonnier et moi pûmes nous regarder en toute liberté.

À aucun moment il n'abandonna son sourire amical, mais son expression avait quelque chose qui me faisait mal. J'avais envie de lui dire que j'étais de son côté et qu'il m'emmène avec lui, quand ses compagnons l'auraient libéré, dans son monde de solitude, de neige et de glaciers, pour y galoper sur des chevaux moins dociles que Floridor, et sur une selle d'homme, porter des *chiripas* de cuir et apprendre le doux idiome des jurons. Je voulais lui dire combien je haïssais l'avenir qui m'attendait. J'étais le fils aîné et je pouvais être sûr que mon père mettrait le restaurant à mon nom quand il se sentirait vieillir, tout comme l'avait fait son propre père. Je voulais qu'il m'arrache à ce destin tout tracé que je voyais se rapprocher quand mon père ou quelqu'un de la famille me demandait si je n'allais pas bientôt entrer à l'école hôtelière. Il fallait qu'il m'emmène avec lui afin que cette liberté célébrée par tous chaque mois de septembre ait pour moi un véritable sens. Oui, il fallait qu'il m'emmène. J'étais un bon cavalier et je lui serais toujours loyal, là-bas dans son monde des lointaines cordillères.

Le prisonnier lui aussi m'observait avec une telle intensité que je dus baisser les yeux pour ne pas larmoyer, et c'est ainsi que je vis le manche argenté d'un couteau de table qui dépassait de la jambe de son pantalon. À mes yeux écarquillés le prisonnier comprit que j'avais découvert son secret, et son regard changea, ses pupilles brillèrent d'un autre éclat, froid comme le manche du couteau, sa main libre descendit discrètement jusqu'à la cheville, empoigna l'arme et lentement la remonta pour la faire disparaître dans une poche de sa veste. Sans cesser de me regarder il porta un doigt à ses lèvres. Je lui répondis par un hochement de tête et son sourire revint. Il comprenait que j'étais de son côté. Nous partagions désormais un secret et si ses compagnons n'arrivaient pas, nous pourrions tromper la vigilance du policier et nous enfuir dans la cordillère. Je transpirais de bonheur et je craignais que les battements de mon cœur ne me trahissent.

— Prochaine gare, Chillán. Cinq minutes d'arrêt, annonça la voix du contrôleur. Et je sentis qu'on donnait un coup de griffe à mes rêves.

Non, c'était impossible. Au moment où le prisonnier et moi étions sur le point de conquérir la liberté. Qu'allait-il faire sans mon aide ? Il attendait que le policier soit profondément endormi pour lui mettre le couteau sous la gorge pendant que je chercherais la clé et le libérerais de la chaîne. Non, non, c'était impossible.

— On est à Chillán. Réveille-toi, on descend.

Ce n'était pas moi ce gamin qui marchait d'un pas maladroit vers la porte. Ce n'était pas moi cet endormi qui descendait les marches du wagon. C'était un étranger revêtu de mon corps. Moi, j'étais resté en face du prisonnier, honteux de n'avoir pu défendre mes rêves.

Sur le quai attendait le groupe bruyant des amis de mon père. Ils l'embrassèrent. Ils m'embrassèrent en disant combien j'avais grandi depuis la dernière visite, ils me posèrent des questions sur l'école, sur ma mère, mes frères, ils me demandèrent si j'avais une petite amie et si j'allais leur réciter un poème. Mais je ne les entendais pas, je ne les voyais pas, je n'étais pas avec eux. Tout mon être et toute mon émotion étaient restés dans le train qui repartait lentement, puis prenait de la vitesse après quelques secondes, et je vis passer le prisonnier, le cavalier de la cordillère, l'homme au couteau caché qui attendait le moment propice. Je le vis passer l'air grave, le sourire perdu, comme s'il disait : « Et moi qui avais confiance en vous, compatriote. Moi qui pensais vous laisser monter mon cheval noir. »

Chez nos hôtes, pendant le dîner, plantureux comme toujours, je n'ai pas touché à la nourriture et je suis resté silencieux ou ne répondant que par monosyllabes. Et quand j'ai repoussé la crème brûlée, mon dessert préféré, l'attention des invités s'est centrée sur moi, et l'un d'eux, après m'avoir posé une main sur le front, a déclaré que j'avais de la fièvre. Mon père m'a accompagné à la chambre. Il a ouvert le lit et s'est penché pour m'enlever les bottes.

— Un bon somme et ça ira mieux. Je serai dans la salle à manger avec les amis. Si tu as besoin de quelque chose, tu m'appelles.

Avant de partir, il me passa une main dans les cheveux, sa caresse habituelle. Je l'esquivai en me jetant à plat ventre sur le lit.

— On est fâchés ? Allez, dis-moi pourquoi. Je te jure que je ne comprends pas.

Je voulus lui dire que je le haïssais, que par sa faute je n'avais pas pu aider cet homme, que par sa faute il n'arriverait peut-être pas à s'enfuir pour rejoindre ses compagnons dans la cordillère, que par sa faute je ne connaîtrais jamais ces lieux réservés aux courageux, que par sa faute… Mais plus mes griefs s'accumulaient, plus s'imposaient les forces qui les liquéfiaient en un sanglot hystérique.

Il m'embrassa et tout ce que j'aimais chez lui, son odeur de tabac et de lotion anglaise, ses « Allez, vieux, dis-moi ce qui t'arrive, on est des copains, non ? », arracha la délation à mes pleurs.

— L'homme du train. Il avait un couteau.

— Tu en es sûr ?

— Je l'ai vu.

Avant de parler, il me fit lever la tête et m'obligea à le regarder dans les yeux. Alors, avec un sérieux que je ne lui connaissais pas, il m'expliqua que nous nous étions mis dans de sales draps et que, si odieux que ce fût, il était obligé d'informer la police. Je ne répondis pas. La tête enfouie dans l'oreiller, au milieu des hoquets d'une nouvelle crise de larmes, je l'entendis descendre l'escalier.

J'ignore combien de temps je suis resté à baver sur l'oreiller. Je ne sais pas non plus si mon père est revenu longtemps après. Je me souviens seulement qu'il alluma une cigarette et qu'il me caressa la tête.

— Tu sais ce qu'on va faire demain ? me dit-il. Eh bien, on retourne à Puerto Montt, on débarque à Ancud, on loue un voilier et on part se balader une semaine dans les canaux. J'ai prévenu ta mère. Qu'est-ce que tu en dis ?

Nous nous sommes embrassés avec force et plus je le serrais dans mes bras, plus j'avais la certitude que cette étreinte était la plus triste des séparations. Les yeux me brûlaient, j'avais la gorge sèche, et d'un coin perdu de la cordillère m'arriva l'écho de chevaux au galop, brisant les pierres de leurs sabots, de chevaux furieux et rapides, de chevaux avalés par l'haleine des glaciers, de chevaux s'éloignant à jamais de mes rêves.

Rolandbar

« Je n'ai jamais rien su de son histoire. Un jour j'y suis né simplement. Le vieux port a modelé mon enfance. Avec un visage de froide indifférence. »

Gitano Rodríguez

Le navire marchand lança les amarres sur le quai alors que le soleil hivernal glissait comme une tache d'huile et que les touristes se lassaient de leurs kodaks inutiles. Les gonds cessèrent de gémir dès que l'employé du port eut fait un nœud final au câble.

— Ça s'est passé comme ça, non ?

— On peut le dire. On demande une autre bouteille ?

Les marins panaméens connaissaient le chemin de la Plaza Echaurren et bien qu'aucun d'eux n'imaginât entrer dans la maison des sept miroirs, ils sentaient cependant la terre les chatouiller entre les jambes.

— Comme ça ?

— Oui, mec. À la tienne.

Le capitaine fumait sur le pont. Il écoutait d'un air absent les instructions du pilote. Finalement, il signa en bâillant le reçu que celui-ci lui tendait.

— Ça s'est passé comme ça ?

— Je suppose. Mais parle-moi plutôt de moi. Dis-moi que j'ai compris que je n'avais plus rien à faire dans cette maison. Dis-moi que les regards méprisants avaient disparu au lever du jour et que le salon empestait le tabac et la sueur. L'électrophone continuait à tourner avec un son magnétique franchement pénible.

J'ai essayé de me rappeler exactement tout ce qui était arrivé, mais une douleur aiguë dans l'œil gauche m'a obligé à me lever et je me suis traîné, nauséeux, jusqu'aux toilettes. En passant devant la chambre de Rosa, j'ai pu la voir. Ils avaient laissé la porte entrouverte et j'ai aperçu son visage en sueur. J'ai vu aussi un bras qui lui entourait le dos. Un bras fort, velu, un arc de sombres algues marines. Je me suis arrêté devant le miroir et j'ai vu mon visage violacé de coups. Les lèvres enflées, les cheveux hirsutes, et des croûtes de sang séché. J'ai su une fois de plus que j'avais perdu ma place dans cette maison. « Il est vieux, mais il cogne dur. » Voilà ce que j'ai pensé.

Et Alberto avait raison. Le Negro cognait dur et connaissait toutes les ruses d'un bon bagarreur. Le Negro avait des années de port derrière lui, de nombreuses années derrière des grilles qui quadrillaient les rayons de soleil, de nombreuses années à ruminer sa rancœur et à affûter sa vengeance.

— Le miroir t'a renvoyé une image de défaite, mais une image tranquille. Après tout, les comptes étaient réglés et c'était pour vous deux la fin d'une longue attente. Je me trompe ?

— Non. Je pensais à l'affaire. L'affaire. Quelques années plus tôt, je traînais un soir près de Quintero et tout à coup j'ai vu un bateau d'où on lançait des paquets à l'eau. J'ai attendu qu'il fasse noir, je me suis déshabillé et j'ai nagé vers ces paquets. C'étaient des sacs de toile imperméable contenant des centaines de cartouches de cigarettes yankees. Un trésor, mec, et je savais très bien qui était le propriétaire.

Au port, il n'y a pas de secrets. Il ne fallut pas longtemps au Negro pour trouver le nom du voleur et quelques jours plus tard, il l'affrontait près de la crique El Membrillo. « Vous avez pris quelque chose qui est à moi, collègue », c'est tout ce que le Negro parvint à dire.

La réponse d'Alberto avait été plus rapide. Il lui avait enfoncé l'acier jusqu'au manche et senti le sang chaud du Negro, qui tombait en cherchant un mot introuvable.

— Le Negro, ils ont voulu l'interroger à la clinique, mais il n'a pas dit un mot. Le problème c'est que dans une poche ils ont trouvé cinq grammes de déesse, de la meilleure, pure, blanche, pas encore coupée, et je te jure, mec, c'est pas moi qui l'y avait mise. La coke, ça n'a jamais été mon truc.

— Qui, alors ?

— Je ne sais pas, moi. Les flics eux-mêmes, pour le tenir entre leurs mains et l'obliger à dire ce qu'il savait sur la contrebande.

— À quoi tu pensais en quittant la maison ?

— À lui. Lui qui occupait ma place dans le lit, à l'odeur de Rosa, à l'odeur des draps. « Profite bien, mon vieux, j'ai pensé. Après tout, tu viens de te taper cinq ans de cabane. »

— Tu ne pensais pas à l'Allemand ?

— Non.

C'était la vingt et unième croisière de Hans Schneider sur les eaux du Pacifique sud. Comme à son habitude, il adressa son premier salut aux mouettes qui se posèrent devant le déversoir de la cuisine. L'Allemand aimait Valparaiso. Il disait toujours que c'était son dernier voyage, qu'il allait jeter l'ancre et se marier avec une des filles du Roland, mais au moment de l'appareillage il était toujours sur le pont, agitait sa main blanche et emplissait ses yeux de collines et de chats.

Quand le Negro entra au Rolandbar, les clients étaient agglutinés sous la barre du *S.S. Holmurd*, qui servait de lampe. L'homme sentait frémir dans son sang une vieille passion ressuscitée. À juste titre. Cinq années de prison étaient un motif plus que suffisant. Les femmes baisées furtivement dans les parloirs, c'était le sexe enchaîné. Le Negro cherchait Rosa. Il avait besoin de ses seins, durs dans son souvenir, de ses lèvres charnues, de sa joie à danser, de sa fidélité si particulière quand il avait besoin d'elle.

Il rencontra un essaim de marins panaméens, qui trahissaient leur origine au son de rythmes tropicaux, et quelques marlous aux allures de parvenus.

— Où se sont retrouvés Rosa et l'Allemand ?

— À l'Herzog. Comme toujours.

Leur vieil hôtel. Ils montèrent dans la chambre. La femme se déshabilla sans un mot et, à la vue de cette chair si familière, l'Allemand ébaucha une caresse, lui dit qu'il était tard, qu'il se sentait fatigué et qu'il voulait simplement dormir quelques heures en sa compagnie.

La femme comprit et rapprocha sa tête de l'Allemand. L'odeur de laque lui souleva le cœur, mais il la serra dans ses bras et ils s'endormirent.

— Je l'ai vu dès que je suis entré au Roland. Il était de dos en train de parler avec les Panaméens. J'ai voulu m'en aller, mais quelque chose de plus fort que la peur m'a fait comprendre que le moment était venu. On ne peut pas vivre constamment dans l'attente. J'ai mis ma main dans la poche de ma veste et je me suis senti protégé par le froid du Solingen. À ce moment, Rosa et l'Allemand sont entrés. Ils étaient enlacés et n'ont pas remarqué ma présence ni celle du Negro. Ils se sont assis dans un coin sombre, près des bouées. Le Negro s'est approché d'eux à pas lents. Il n'a rien dit. Il s'est simplement planté devant eux.

« Negro ! Tu es sorti ! » s'est exclamée Rosa.

Hans Schneider a fait mine de se retirer, il connaissait l'histoire de l'homme, mais celui-ci l'a arrêté.

« Restez, l'ami. Je sais que vous êtes un type bien. »

Ils ont demandé du vin et bu tranquillement. Rosa caressait le bras du Negro.

— Et toi ? Qu'est-ce que tu as fait ?

— Je suis allé moi aussi à leur table. « Je suis là », c'est tout ce que j'ai dit.

« Je vois, a répondu l'homme. Il me semble que vous et moi on a un petit compte à régler. »

« Exact. Payez-vous si ça vous chante. Mais avant, je veux vous dire que ce n'est pas moi qui vous ai mis la coke. Je n'aime pas qu'on me refile des morts qui ne sont pas les miens. »

« Ça aussi je le sais. »

« Alors ? »

« On a le temps. La nuit est longue. Parfois elle peut durer cinq ans. »

Alberto recula d'un pas. Un éclair d'acier fendit l'air raréfié et l'atmosphère se teinta de rouge. Sur l'infect plancher on entendait la respiration haletante de Hans Schneider. Il avait arrêté de sa poitrine le seul coup de couteau qui avait déchiré la nuit et en un battement de paupières il avait dévié sa trajectoire initiale.

Alberto tenait le poignard dans la main. Il regarda le Negro avec haine et voulut frapper de nouveau, mais il était trop tard. Les poings de l'homme s'abattirent tant de fois sur son visage qu'en lâchant l'arme il avait une ruche de guêpes dans la tête et attendait l'entrée de l'acier dans son corps.

— Mais il ne s'est rien passé. Je me suis réveillé dans un fauteuil, endolori et étonné d'être vivant.

— À quoi tu pensais en sortant de la maison ?

— À une phrase : « Homicide involontaire ». Et, un peu plus tard : « Cinq ans et, comme je n'ai pas d'antécédents, on me relâche au bout de trois. »

Alberto partit vers le commissariat ; en chemin il acheta un journal, des cigarettes, une brosse à dents et en passant par le port il ne fut pas surpris de la foule d'hommes qui attendaient devant le cargo. Au port, il n'y a pas de secrets. Tout Valparaiso savait déjà qu'il y avait une place vacante à bord du bateau panaméen.

Changement de route

Le mardi 17 mai 1980, le train Antofagasta-Oruro quitta la gare pour un voyage de routine. Le convoi comptait un wagon postal, un de marchandises et deux de voyageurs, première et seconde classe.

Il y avait peu de voyageurs et la plupart descendirent à Calama, à mi-chemin de la frontière bolivienne. Ceux qui restaient, quatre dans le wagon de première et huit dans celui de seconde, s'installèrent pour dormir allongés sur les sièges, agréablement bercés par le roulis du train qui gravirait péniblement les trois mille et quelques mètres jusqu'au pied du volcan Ollagüe et à la bourgade du même nom.

Là, les voyageurs qui voudraient continuer jusqu'à Oruro devraient prendre un train bolivien, tandis que l'express Antofagasta-Oruro poursuivrait sa route une centaine de kilomètres en territoire chilien jusqu'à Ujina, la fin du trajet. Pourquoi l'express s'appelait-il Antofagasta-Oruro, et non tout simplement Antofagasta-Ujina, personne ne l'a jamais compris et il en est encore ainsi.

C'était un voyage ennuyeux. La pampa du salpêtre était morte depuis trop longtemps et les villages abandonnés, jusque par les fantômes des mineurs, n'offraient aucun spectacle digne d'intérêt. Même les guanacos languissants qui regardaient parfois passer le train avec une expression idiote, s'ennuyaient. Il suffisait d'en voir un pour les avoir tous vus.

Si bien que dormir à poings fermés, une fois épuisés le vin et la conversation, était ce qu'il y avait de mieux à faire.

Dans le wagon de première voyageaient un couple de jeunes mariés qui désiraient connaître la Bolivie – ils prévoyaient d'aller à Tiahuanaco –, un représentant en lingerie qui avait des affaires en cours à Oruro, et un apprenti coiffeur qui avait gagné un billet aller-retour à Ujina lors d'un concours radiophonique. Le futur coiffeur n'était pas très convaincu qu'un tel prix récompensât justement ses bonnes réponses au vingt questions du concours « Le cinéma et vous ».

Dans le wagon de deuxième classe tentaient de dormir un boxeur poids welter qui devait affronter trois jours plus tard, à Oruro, le champion *amateur* bolivien dans la même catégorie, son manager, son masseur et cinq petites sœurs de la Charité. Les nonnes n'appartenaient pas à la délégation sportive et resteraient à Ollagüe pour se consacrer à des exercices de retraite spirituelle.

Le train comptait deux mécaniciens, le responsable du wagon postal et un contrôleur.

La locomotive diesel traînait le convoi sans contretemps. Ils avaient quitté Antofagasta depuis dix-huit heures et longeaient les premiers escarpements qui protègent le volcan San Pedro et ses presque six mille mètres d'altitude. Encore cinq heures de voyage et ils entreraient à Ollagüe en affolant les chauve-souris des clochers.

Le mécanicien aux commandes vit subitement apparaître un banc de brouillard et n'y prêta guère attention.

Le brouillard est chose courante dans la région, mais, sait-on jamais, il réduisit l'allure.

L'autre mécanicien somnolait assis. Il perçut le ralentissement et ouvrit les yeux.

— Qu'est-ce qui se passe ? Encore les guanacos ?

— Du brouillard. Très épais.

— T'occupe.

La locomotive s'enfonça comme un dard dans le banc de brouillard et le mécanicien remarqua alors quelque chose d'inhabituel. Le faisceau lumineux du phare ne perçait pas le brouillard. Il s'arrondissait, comme projeté sur un mur gris et humide. Instinctivement l'homme réduisit la vitesse au minimum et son compagnon rouvrit les yeux.

— Qu'est-ce qu'il y a ?

— Le brouillard. On ne voit rien. Je n'ai jamais vu un brouillard aussi épais.

— Tu l'as dit. Il vaudrait mieux arrêter la machine.

Ce qu'ils firent. Le train recula de quelques centimètres et s'immobilisa.

Le conducteur ouvrit une fenêtre et se pencha audehors en regardant vers l'avant, mais il ne vit pas le faisceau lumineux. De fait, il ne vit absolument rien et, alarmé, rentra la tête. Le phare ne semblait pas allumé.

— Merde, la bougie a fondu.

— Que diable, on va la changer.

Ils prirent une bougie neuve et sortirent sur la passerelle avec une caisse à outils. Les deux hommes tenaient une lanterne à la main. Le premier fit deux pas et s'arrêta. Il pensa que sa lanterne s'éteignait, mais en la levant il constata qu'elle était allumée. La lumière ne parvenait pas à percer le brouillard, elle se projetait quelques millimètres au-delà du verre et mourait.

— Collègue, tu es là ?

— Oui, derrière toi. Mais je ne te vois pas.

— Je commence à avoir la trouille. Donne-moi la main.

Ils tâtonnèrent dans une obscurité totale et se prirent par la main, puis le corps collé à la rampe de la passerelle ils avancèrent jusqu'au phare. Il était allumé. Quand ils passaient la main devant le verre protecteur la puissante lumière la rendait transparente, mais ne parvenait pas à pénétrer d'un centimètre dans le brouillard.

— Rentrons. Il faut attendre, c'est tout.

De retour à la cabine, le second mécanicien brancha la radio afin d'informer de l'arrêt du train et de son retard probable à la gare d'Ollagüe.

— Putain de putain !

— Qu'est-ce qu'il y a maintenant ?

— La radio. Morte. Elle ne marche plus.

— Il ne manquait plus que ça. Qu'est-ce qu'on fait ?

— Attendre. Et avec patience.

Les heures s'écoulèrent lentement comme dans toutes les situations d'incertitude. Quatre heures du matin, six heures – l'heure d'arrivée à Ollagüe –, sept heures, et bientôt vingt-quatre heures depuis le départ d'Antofagasta. Le brouillard ne se dissipait pas. Il était tellement dense qu'il ne laissait pas passer la lumière du jour, cette lacérante luminosité des aubes andines.

— Il faudrait informer les voyageurs.

— D'accord. Mais on y va ensemble.

Se tenant par la main, les deux mécaniciens descendirent de la locomotive et longèrent le train jusqu'au wagon postal. Le responsable fut heureux de les entendre et les suivit vers le wagon de première.

Ils montèrent. Le contrôleur, qui s'égosillait à fournir des explications au représentant en lingerie, les accueillit avec soulagement.

— On va rester longtemps à l'arrêt ? J'ai des affaires importantes qui m'attendent à Oruro, déclara l'homme.

— Vous avez regardé par la fenêtre ? Vous ne voyez pas ce brouillard ? répondit un des mécaniciens.

— Et alors ? Les rails continuent, non ?

— Soyez raisonnable. Les mécaniciens savent ce qu'ils font, intervint la jeune mariée.

— Collègue, va chercher les passagers de seconde. Il vaut mieux regrouper tout le monde.

L'homme traversa le wagon et les premiers à se présenter furent le boxeur et son équipe. Il tint la porte ouverte pour laisser passer les nonnes.

Après une brève discussion, qui révéla que les jeunes mariés et l'apprenti coiffeur étaient les seuls dotés de patience, une stratégie fut adoptée.

Selon les calculs des mécaniciens, ils se trouvaient tout près du volcan San Pedro, sur un tronçon de virages en épingle à cheveux qui dissuadaient de faire avancer le train dans un tel brouillard, mais il était possible que ce banc de brouillard ne soit pas très étendu. Peut-être se dissipait-il à la courbe suivante et si tel était le cas, les conducteurs étaient disposés à repartir. Mais il fallait en être sûr et envoyer un volontaire accompagné d'un mécanicien pour explorer la voie. Le boxeur se proposa aussitôt en disant qu'un peu de mouvement lui ferait du bien.

Afin de ne pas se voir obligés à marcher main dans la main, le boxeur et le second mécanicien s'attachèrent une corde autour de la taille, comme les alpinistes, et se mirent en marche. Ils n'avaient pas fait un pas que les passagers penchés à la portière les avaient déjà perdus de vue. Mais leur absence ne dura pas longtemps. Traînant le boxeur, qui ne comprenait pas la décision de rebrousser chemin, le mécanicien rejoignit le groupe.

— On est sur un pont, dit le cheminot.

— Quoi ? Mais il n'y a pas un seul pont sur tout le trajet, répliqua son collègue.

— Je le sais aussi bien que toi. Pourtant on est bien sur un pont. Viens avec moi.

Le boxeur fut détaché et les deux mécaniciens s'encordèrent.

Ils ne se voyaient même pas. L'humidité du brouillard rendait la respiration pénible.

— Marche sur les traverses. On va faire deux pas. Prêt ? Maintenant, essaie de poser le pied entre les traverses.

L'autre fut sur le point de perdre l'équilibre. Son pied traversa le brouillard sans rencontrer de résistance.

— Saloperie ! C'est vrai. Où est-ce qu'on est ?

— Tu as quelque chose de lourd ? Je voudrais savoir s'il y a de l'eau en bas.

— Compris. Écoute bien. Je vais jeter la lanterne.

Ils retinrent leur respiration aussi longtemps qu'ils le purent, mais n'entendirent pas le bruit espéré. Ils n'entendirent rien.

— On dirait que c'est haut. Mais où est-ce qu'on peut bien être.

Ils retournèrent au wagon et leur visage perplexe rendit les voyageurs muets.

Les nonnes distribuèrent le café qui restait dans leur thermos, le représentant en lingerie compulsa son agenda, les jeunes mariés se prirent par la main, le boxeur se mit à arpenter nerveusement le wagon d'un bout à l'autre tandis que le manager jouait aux dames avec le masseur, et l'apprenti coiffeur sortit timidement un transistor de son sac.

— Bonne idée ! Il y a peut-être des informations sur le temps. Il est sept heures du matin, c'est l'heure du journal, s'exclama un mécanicien.

Ils se pressèrent autour du garçon et, en effet, ils écoutèrent le journal, d'abord avec incrédulité, puis avec malaise, et finalement avec résignation.

Le présentateur avait parlé du tragique déraillement du train Antofagasta-Oruro survenu la nuit précédente à proximité du volcan San Pedro. Le convoi, probablement à cause d'une défaillance du système de freinage, était sorti des voies et tombé dans un précipice. Il n'y avait pas de survivants et parmi les victimes se trouvait l'éminent sportif ...

Ils se regardèrent en silence. Aucun d'eux ne mènerait à bien ses projets ni ne respecterait ses rendez-vous. Une autre invitation, inexplicable celle-là, et indifférente à la marche du temps les convoquait à passer de l'autre côté du pont quand le brouillard se lèverait.

Le dernier fakir

Bien sûr que c'est vrai.

Personne ne peut dire que vous ayez eu un meilleur ami que celui qui vous parle maintenant en ravalant ses larmes, et bien que ceux qui nous ont connus soient peu nombreux, je crois que tous ont perçu cette immense affection qui transparaissait, doucement, comme s'exprime parfois la véritable affection des hommes, celle qui n'a pas besoin de grands mots et se contente de remplir le verre sans renverser le vin.

Affection d'homme, simplement. Affection d'un paquet de cigarettes lancé sur la table sans autre explication qu'une envie de fumer qui se devine. Affection d'un silence et d'une tape dans le dos après avoir écouté pendant des heures la litanie des malheurs qui vous ont toujours harcelé. Affection que presque tous ont remarquée, presque tous, sauf vous, bien entendu.

Rappelez-vous, compadre. Parce qu'on est compadres, non ? Rappelez-vous que c'est moi qui vous ai dit un matin que vous devriez faire comme les artistes de théâtre qui ne donnent pas plus de deux représentations par jour. Rappelez-vous que c'est moi qui ai insisté pour que vous preniez du galon et que vous respectiez cette poignée de talent qui naît parfois de l'angoisse et de l'estomac vide. Et rappelez-vous aussi que c'est moi qui suis arrivé un jour avec la petite affiche tout juste peinte sur un carton blanc. Je l'avais drôlement bien réussie ! Oui, je m'en souviens encore.

« Il n'y a plus le moindre doute, la vérité a fini par s'imposer dans ce monde de tricheurs. La presse et la télévision l'ont démontré à des millions d'incrédules. Alí Kazam est notre dernier authentique fakir. Alí Kazam croque des ampoules électriques comme si c'était des biscuits et avale des lames de rasoirs comme d'autres prennent des analgésiques. Alí Kazam réalise ces prouesses grâce au régime végétarien qu'il observe avec une persévérance de cheval. Alí Kazam est maigre mais sain et il remercie la coopération de l'honorable public qui assiste stupéfait aux représentations. Deux fois par jour Alí Kazam avalera sous vos yeux toute sorte de verres et d'objets métalliques, puis se retirera pour se reposer et méditer assis sur une planche hérissée de clous.

Venez en famille voir Alí Kazam, le seul authentique fakir qui nous reste en ces temps de dupes et d'escrocs. Alí Kazam ne demeurera que quelques jours dans votre ville avant de poursuivre son voyage commencé dans sa patrie, la lointaine et mystérieuse Inde, à la recherche de la paix et de la vérité. »

Et pardonnez-moi de vous rappeler, compadre, parce qu'on est compadres, non ? que c'est moi aussi qui vous ai trouvé un nom, parce que si je n'avais pas été là, vous avec votre idée de « Grand Maurice », vous n'auriez pas été plus loin que le coin de la rue. Même le turban, c'est moi qui vous l'ai fait, compadre, la copie fidèle de celui qui était dans *Selecciones*, parfois ça sert de lire. Un turban digne d'un sultan, compadre, bien autre chose que ce tas de sparadrap avec lequel on vous couronnait la tête au cirque.

Si je vous dis tout ça, compadre, ce n'est pas pour vous demander une faveur. Non. Ce qui est fait est fait, je veux seulement vous rappeler que sans moi vous n'auriez jamais percé et on n'aurait jamais lu votre nom d'artiste dans les journaux.

Rappelez-vous qu'au cirque ils ont finalement accepté de vous garder pour changer la sciure où pissent les lions, parce que quand vous avez eu cette crampe en pleine soirée de gala, il était clair que comme contorsionniste vous n'aviez aucun talent. Et là encore, qui c'est qui a remarqué votre corps flageolant, tout tremblant, essayant vainement de dégager votre jambe coincée derrière la nuque ? Moi, compadre. Votre ami.

Rappelez-vous que je me suis approché au mépris des éclats de rire de l'honorable public et des insultes de l'imprésario, que je vous ai aidé à vous dénouer et que je vous ai dit : « Compadre, à bien vous regarder, vous avez un air de fakir très convaincant », et vous, compadre, vous me dévisagiez avec vos grands yeux, des yeux de veau à l'instant du sacrifice et vous n'aviez pas la moindre idée du formidable avenir que j'étais en train de vous forger.

Qui donc vous a prêté les livres de Lopsang Rampa afin que vous appreniez quelque chose sur l'Inde ?

Moi, compadre. Votre ami.

Qui n'a pas pipé quand vous avez échangé les livres, sans même les avoir lus, contre quelques litrons d'une infâme piquette ?

Ce cœur-là, compadre. Votre ami.

Rappelez-vous que je vous ai appris comment font les marins pour mâcher le verre jusqu'à le transformer en une pâte farineuse qu'ils cachent sous la langue. Rappelez-vous que c'est moi qui vous ai trouvé ces ampoules de peinture que les prestidigitateurs mettent dans leur chapeau quand ils font le numéro des œufs, et rappelez-vous encore que je vous ai acheté cette eau-de-vie si raide, à tanner le gosier, compadre, afin de vous sécher les gencives et de vous durcir la bouche. Un petit effort de mémoire, compadre, et dites si ce n'est pas moi qui vous ai appris comment placer les lames de rasoir entre les dents, lentement, très lentement, sans toucher les gencives, pour pouvoir ensuite les casser d'un coup de langue. Et n'oubliez pas combien il m'en a coûté pour obtenir ces injections d'anesthésique quand vous faisiez ce numéro où vous vous transperciez les bras avec des aiguilles.

Je ne suis pas en train de vous demander de me payer pour tout ça, compadre, car on est compadres, non ? Je veux seulement vous dire que personne, ni même vous, ne peut dire que vous ayez eu un meilleur ami que moi dans la vie. L'ami qui vous a formé, qui vous a conduit par la main sur les routes du succès et qui vous a fait connaître l'ivresse des applaudissements. C'est moi, compadre, votre ami, celui qui a fait de vous un artiste.

Mais vous, compadre, et pardonnez-moi de vous le dire en ces circonstances si risibles, vous avez toujours été têtu, plus têtu qu'une mule.

Je vous ai si souvent répété : « Compadre, il faut comprendre que, question talent, chaque homme a ses limites », mais vous parler, compadre, était devenu de plus en plus difficile, peut-être, maintenant que j'y pense, parce que la célébrité vous était montée à la tête.

Rappelez-vous que je m'étranglais de rage chaque fois que vous buviez de l'eau-de-vie sans raison et qu'il m'a fallu expliquer à l'honorable public que votre démarche titubante n'était pas la conséquence d'une cuite mais la faiblesse naturelle due au jeûne observé par tout fakir qui se respecte, et, s'il faut être encore plus explicite, vous vous rappelez, compadre, du jour où je vous ai obtenu votre premier passage à la télé ? Vous vous rappelez la nuit précédente, vous étiez sorti sans dire un mot et vous aviez laissé la cape en gage dans un lupanar ? J'ai dû courir tous les bordels du port pour récupérer votre habit de fakir et c'est en demandant aux putains que j'ai enfin retrouvé la cape qui servait de nappe sur une table graisseuse. « Je vous achète le rideau » m'a même proposé une pédale déguisée en gitan, et dire que moi j'avais passé vingt nuits à me piquer les doigts en brodant les signes du zodiaque dans le même ordre que celui de l'almanach Bristol.

Combien de fois je vous ai dit : « Compadre, ne sortez pas pour boire en costume de fakir, vous ne voyez pas qu'on vous prend pour un fou ? » Mais vous, allons donc ! Vous pensiez qu'on vous prenait pour l'ambassadeur du Pakistan.

Ah ! Compadre ! Compadrito, pardonnez-moi de vous le répéter, mais vous étiez têtu, plus têtu qu'une mule.

Maintenant que je suis assis, maintenant que j'ai fumé presque un paquet de cigarettes, je n'arrête pas de penser à tout cela, et j'ai beau tourner et retourner l'affaire dans ma tête, je n'arrive pas à comprendre où diable vous avez déniché ce sabre. D'après le nain vous avez dit, après pas mal de verres dans le nez : « L'heure est venue pour Alí Kazam de présenter un numéro inédit dans ce cirque de merde. L'heure est venue pour Alí Kazam, le dernier fakir, de cesser de manger des clous et des pointes de cordonnier, et d'avaler un sabre entier. Un sabre de cavalerie, sans sel et jusqu'au manche. »

Quand on m'a appelé, compadre, j'étais tranquillement assis devant mon verre de vin, vous savez, ces petits vins tranquilles que je bois, des petits vins sans tapage, des petits vins silencieux où je me concentre pour créer ces nouveaux tours avec lesquels on a récolté tant d'applaudissements. Pour être franc, compadre, j'étais en train de penser à un tour formidable, un numéro spectaculaire pour lequel il suffisait de doubler la dose d'anesthésique dans vos bras, et surtout j'étais en train d'apprendre à avoir confiance en vous. Oui, j'étais sur le point d'avoir confiance en vous, et comme preuve, compadre, rappelez-vous que je vous avais laissé seul pendant les trois dernières représentations, mais, comme dit la Bible, « pauvre Job ! », vous n'avez jamais su gagner la totale confiance du public ; toujours vos emportements de dernière minute.

Quand on m'a appelé, compadre, je suis parti en courant. Vous savez que je ne vous ai jamais abandonné dans les moments durs, et pardonnez-moi, compadre, mais je n'ai pas pu me retenir de rire quand j'ai vu comment on vous emportait sur la civière, assis, les jambes croisées, la bouche terriblement ouverte et la moitié d'un sabre plongé dans le corps.

En vous voyant ainsi, j'ai failli tomber à la renverse, mais finalement j'ai ri de vous voir dans cette situation, les yeux fermés et deux filets de sang qui coulaient de vos lèvres. J'ai ri de voir les infirmiers vous attacher les mains pour vous empêcher de retirer vous-même le sabre, ou de l'enfoncer jusqu'au bout pour gagner le pari.

Pardonnez-moi de vous dire cela maintenant, compadre, mais vous n'auriez jamais changé.

Un infirmier m'a dit « on a retiré le sabre et on va bientôt vous le rendre ». Je lui ai demandé si c'était le sabre qu'ils allaient me rendre et l'infirmier m'a répondu, « le sabre aussi », mais il parlait de vous. « Dès qu'on a fini de le recoudre, on vous le rend. »

Dehors, compadre, il y a une femme qui pleure. Pourquoi vous ne m'avez pas dit que vous étiez marié, compadre ? Elle m'a crié un tas d'insultes et m'a menacé de m'envoyer en prison parce que j'étais responsable de votre bêtise à vouloir jouer au fakir. J'ai avalé les insultes, compadre, vous me connaissez. Je lui ai simplement répondu : « Je lui ai appris un métier, madame, je suis son manager et aussi son meilleur ami », mais elle continue à crier dehors que je suis le seul responsable de votre folie.

En tout cas, je suis là, compadre. À attendre qu'on vous ramène, peut-être enveloppé dans la cape que j'ai brodée pour vous et grâce à laquelle on a eu de si bons moments, ou peut-être dans un drap ou dans un sac en plastique. Peu importe. Votre compadre est là, votre meilleur ami, fidèle au poste, comme au bon vieux temps.

Je ne sais pas ce qui va se passer, mais je voudrais qu'une chose soit bien claire : j'ai été votre meilleur ami, compadre, celui qui vous a appris les trucs qui laissaient les gens bouche bée, celui qui a brodé la cape et vous a acheté les talismans porte-bonheur, celui qui vous accompagne maintenant séparé de vous par un mur blanc, celui qui devra payer le cercueil, les cierges et le curé, celui qui obtiendra une couronne au nom du syndicat des artistes de cirque, celui qui se battra pour que votre mort soit considérée comme un accident du travail, celui qui demandera ce soir, à la représentation, une minute de silence pour l'âme d'Alí Kazam.

Une porte vient de s'ouvrir, compadre. Deux hommes portent une civière et je reconnais une de vos chaussures à bout pointu.

Un des deux hommes demande : « Qui s'occupe du macchabée ? », et je réponds : « Moi, monsieur. »

« Vous êtes un parent ? » questionne l'infirmier.

« Non, son meilleur ami », je lui dis, parce que c'est vrai.

Quand tu n'auras plus d'endroit où pleurer

Mais mes dieux sont maigres et j'ai douté.

Antonio Cisneros

Quand tu n'auras plus d'endroit où pleurer, rappelle-toi mes paroles et va chez Mamá Antonia.

C'est très facile de la trouver; il suffira que tu demandes aux hommes du quai et ils te diront sans hésiter comment arriver jusqu'à la vieille bâtisse en bois.

Il est probable que le porche te surprenne et que tu te sentes troublé. Tu penseras que tu t'es trompé et que tu te trouves devant la maison de l'archevêque, mais ne t'arrête pas, avance, pousse la porte vitrée, ne t'occupe pas des visages androgynes des chérubins qui ornent les murs et appuie une seule fois sur la sonnette. Tu seras accueilli par un être surgi des profondeurs.

C'est un homme étrange, pas de doute. Dans les bars du port on raconte qu'un tramway lui a coupé les deux jambes alors qu'il fuyait un mari jaloux et qu'il est arrivé en rampant chez Mamá Antonia pour y déverser sa tragédie. On dit qu'elle eut pitié de cette moitié d'homme à l'agonie et qu'après avoir payé la cautérisation des moignons, elle fit fabriquer une petite estrade munie d'un système compliqué de ressorts qui réveille l'homme au premier coup de sonnette et le propulse vers le haut comme un diable hors de sa boîte. On dit tellement de choses dans les bars du port, tu sais que les dockers ont la langue bien pendue.

Le demi-homme attrapera un registre jauni. Il y notera ton nom, ton âge, ta profession et te demandera enfin la raison de tes larmes. Si celle-ci n'est pas claire pour toi ou si tu n'en as pas, ne t'en fais pas. La maison se charge de fournir de bonnes raisons pour pleurer, en bramant ou en silence. Le choix n'appartient qu'à toi.

Le demi-homme sautera sur un petit chariot et te conduira le long d'un couloir obscur jusqu'à une porte ouverte. Dans la pièce, tu verras un lit, une chaise et un miroir.

Tu te sentiras nerveux, ça c'est plus que sûr, mais tu dois avoir confiance, confiance en Mamá Antonia, c'est tout ce qui compte. Tu seras assailli par un irrépressible désir de fuite, mais au moment d'y céder tu verras que le seuil de la porte est occupé par une femme grosse, énorme, de dimensions telles qu'elle parvient à peine à entrer dans la pièce.

Sans dire un mot elle s'avancera en haletant à ta rencontre, te poussera sur le lit, se jettera sur toi et t'embrassera sur la bouche en t'enfonçant sa langue jusqu'aux amygdales. Quand tu te sentiras sur le point d'étouffer, elle s'écartera et commencera à se déshabiller sans cesser de te regarder. Ne t'affole pas. Elle te regardera avec haine. Une haine implacable qui augmentera ses halètements. C'est Mamá Antonia.

Tu verras un désordre de chairs sombres. Un univers de seins gros comme des calebasses, aux mamelons aussi volumineux qu'un poing fermé, un tonneau d'où naissent deux jambes immenses entre lesquelles, sous des plis de graisse, tu pourras voir le duvet clairsemé d'un pubis secret.

Tu remarqueras aussi que cette masse de chair est en perpétuel mouvement, qu'il suffirait d'un bon poignard pour ouvrir ce sac et répandre cet être gélatineux dans toute la pièce. Elle ne te dira pas un mot. Simplement elle gémira en t'assiégeant, puis elle hurlera comme les loups et se déhanchera en une furieuse cérémonie d'offrande de son corps.

Tu te sentiras acculé, et de là où tu es – la pièce a quatre coins, peu importe celui que tu auras choisi pour t'y réfugier – tu la verras suer, dégouliner inlassablement, tu entendras sortir d'entre ses jambes un bruit de crapauds crevés, tu verras ses yeux blancs, sa langue aux proportions inénarrables pendre de ses lèvres et, à ses grincements de dents, tu découvriras l'ampleur de ses orgasmes et en voyant le va-et-vient de sa main droite qui disparaît entre ses jambes tu sauras qu'elle est infatigable.

Ce sera toi alors qui gémiras, apeuré par ta propre excitation, mais ne t'inquiète pas, souviens-toi que rien n'est obscène de ce qui vient du désir.

Tu jetteras tes vêtements n'importe où et tu te précipiteras sur cette masse en haletant toi aussi comme un chien. Tu auras la sensation d'être englouti par cette chair poisseuse et chaude. Tu embrasseras, tu mordras, cherchant à blesser, à causer de la douleur, une douleur qui libère, tu frapperas en cherchant de ton sexe l'orifice secret, tu te tromperas en sentant que ta verge, maladroite et aveugle, pousse et se vide sans parvenir à combler ton désir qui va croissant. Tu voudras faire quelque chose de plus tellement tu auras honte, tu te rappelleras que tu as une langue et quand tu tenteras de l'introduire entre les deux colonnes de ses jambes, Mamá Antonia te repoussera, car tu déranges l'avalanche de son plaisir onaniste qui approche.

Cette fois, tu te redresseras atterré et maintenant, dégoûté. Tu chercheras ton image dans le miroir, mais elle n'apparaîtra pas. Seule Mamá Antonia sera visible dans la glace, seule cette masse gémissante, s'étouffant par moments dans sa propre salive.

Tu te rhabilleras précipitamment, tu tenteras d'ouvrir la porte pour constater qu'elle est fermée de l'extérieur, tu appelleras le demi-homme en lui criant qu'il te sorte de là, tu lui offriras de l'argent, ta montre, tout ce que tu as sur toi s'il t'ouvre la porte, mais les cris de Mamá Antonia seront plus puissants que les tiens et sans t'en rendre compte tu te retrouveras à genoux, en train de pleurer et de griffer le bois.

Tu pleureras sans voir passer le temps. Tu passeras du sanglot frénétique à celui, lent, quasi silencieux de l'innocent, et quand tu seras fatigué, tu tourneras la tête pour découvrir que Mamá Antonia est habillée, assise sur le lit et te regarde avec compassion. Alors tu pleureras de honte, elle te fera venir près d'elle et te caressera la tête, mouchera ta morve, séchera ta bave et te demandera si tu te sens mieux ou si tu veux pleurer encore. Si tu as envie de recommencer, ne t'inquiète pas, la maison offre à la sortie une goutte de citron dans chaque œil et un glaçon pour dégonfler les paupières.

Répondeur automatique

« Bonjour. Vous êtes en communication avec le répondeur automatique de quelqu'un qui n'est pas au bout du fil, ou qui, pour diverses raisons, se refuse à répondre. Si vous me connaissez, vous savez que la voix qui vous parle en ce moment n'est pas la mienne. Un des avantages du répondeur, outre celui de préserver l'intimité, est d'assurer l'impunité. Cette voix est une voix louée. Elle appartient à une de ces personnes – il y en a des milliers – qui en échange de quelques billets sont disposées à prêter leur âme. Ce n'est pas ma voix. Mais si vous ne me connaissez pas, si c'est la première fois que vous faites mon numéro, tout cela ne doit pas vous affecter. Disons alors qu'en théorie je ne suis pas là, ou qu'une anomalie physique m'empêche d'atteindre l'appareil, ou que tout simplement je n'en ai pas envie. Il se peut également que je ne sois plus de ce monde. Vous avez lu le journal ? Vous avez écouté les informations ? Il y a eu un accident horrible aux premières heures de la matinée. Non. Ne raccrochez pas. Ce n'est pas la peine que vous alliez regarder le journal ouvert sur la table. Vous ne trouveriez pas mon nom sur la liste des victimes. Ne raccrochez pas. Je reconnais que c'est une blague de mauvais goût, mais ne le prenez pas mal. Récapitulons : je vous disais que vous étiez en communication avec le répondeur automatique de… bon, ça vous le savez déjà. L'essentiel est qu'en ce moment vous ne parlez pas. Vous vous rendez compte ? Cette relation infime qui dure depuis un peu plus d'une minute est fondée sur un mensonge et vous l'avez avalé. Non, ne raccrochez pas. Vous ne devez pas non plus douter de ma santé mentale. Retenir votre attention aussi longtemps est une incontestable preuve de lucidité. Je vous ai dit tout cela parce que j'aime jouer franc jeu. Maintenant vous vous étonnez, vous faites appel à vos souvenirs immédiats, car cette idée de jouer franc jeu est inévitablement associée à une menace éventuelle. Mais ne vous tracassez pas. Il n'y a pas de menace. Ni même d'avertissement. Du moins pour le moment. Je vais vous expliquer ce que signifie jouer franc jeu et pour cela j'aurai recours à la source de notre culture : le cinéma. Vous avez vu comment font les policiers pour localiser les appels d'un criminel ? Ils conseillent à la victime de le laisser parler, de lui délier la langue pendant au moins deux minutes, le temps nécessaire à l'ordinateur central de la police pour travailler en accéléré en éliminant les possibilités, il ne lui en faut pas plus pour trouver l'endroit exact d'où appelle le criminel. Deux minutes. Le temps c'est de l'or. Pourquoi je vous dis tout cela ? Je vous répète que j'aime jouer franc jeu. À côté du répondeur automatique j'ai un ordinateur beaucoup plus efficace que celui de la police et je sais d'où vous m'appellez. Cela vous étonne ? Allons, la technologie est aujourd'hui à la portée de n'importe qui. Je suppose que vous souriez maintenant et c'est parfait. Tout comme je suppose que vos nerfs sont tendus et vous disent que cette mauvaise blague a assez duré. C'est vrai, mais, et là je vous préviens, vous devez continuer à écouter cette voix, qui n'est pas la mienne, jusqu'à ce que le signal vous dise que c'est à votre tour de parler et qu'enfin le mensonge s'achève. Le moment est venu d'être sincère: j'ai gagné du temps, d'abord pour savoir d'où vous m'appeliez puis pour évaluer quelle genre de personne vous êtes. Non. À cet instant, je devine votre expression de stupeur et je vous assure qu'elle est absolument injustifiée. Et ce « Mais puisqu'on se connaît » ne se justifie pas davantage. Il faut que vous sachiez que seule la distance permet une véritable connaissance. Et quant à ce respectueux vouvoiement, eh bien, c'est le rituel qui l'exige. Non, ne raccrochez pas. Ce serait bête. Ce « La petite blague va un peu trop loin » qui vous vient aux lèvres n'est pas digne de votre talent, non, car écouter est un vrai talent et ceux qui le possèdent se comptent sur les doigts d'une main. Pour la dernière fois, je vous répète que j'aime jouer franc jeu. Vous continuez à écouter une voix qui n'est pas la mienne et il y a déjà un bon moment que je ne suis plus chez moi. Je me dirige vers l'endroit d'où vous m'appelez. Il est fort possible qu'en chemin je m'arrête pour acheter des fleurs, ou une bouteille de champagne, ou une cravate en soie, ou des boucles d'oreille en forme de paon. Ce sont les détails qu'exige le rituel. Mais il est également possible que j'aie fait une halte dans une armurerie et que maintenant je monte l'escalier qui conduit à votre appartement en dissimulant un monstrueux couteau à lame dentelée et doublement striée, un de ces couteaux que – encore les références culturelles cinématographiques – nous avons vu dans les mains de Rambo ou quel que soit le nom de ce grotesque boucher nord-américain. Non, ne raccrochez pas. Votre tour arrive. Enfin. Après avoir entendu les trois signaux électroniques, vous pourrez enregistrer votre message. Vous disposez de trois minutes, mais, avant de le faire, et ce sera là la preuve définitive que j'aime jouer franc jeu, je vous conseille d'aller à la porte et de décider si vous la laissez légèrement entrouverte, comme une invitation, ou si vous la fermez en plaçant la chaîne et en donnant deux tours de clé. Cette décision vous appartient. Je ne peux ni ne dois y prendre part. Rappelez vous que la voix qui vous parle est une voix louée par quelqu'un qui ne se trouve pas au bout du fil.

Rendez-vous manqués avec soi-même

Pour tuer un souvenir

Tu as la photo entre les mains et tu trouves trop artificiel le paysage aux couleurs polaroïd. Trop bleue la mer, trop transparent le ciel, trop incendié cet horizon, trop de brillance dans les regards des deux personnages qui s'enlacent au mépris du vent, vêtus de pull-overs semblables.

Tu regardes dehors et la seule chose que tu vois c'est le reflet que la vitre te renvoie comme une gifle, parce qu'il fait nuit et qu'à cette heure les fenêtres se transforment en miroirs qui renvoient la solitude, les intérieurs accablants, les maisons comme la tienne, maisons vides, maisons avec café sans sucre le matin, café rapide et la voiture qui ne démarre pas et les minutes qui passent, maisons où tu découvres le matin des signes de déprime qui te signalent à cor et à cri que tu es en train de perdre la grande bataille.

La photo reste dans tes mains. Elle était dans un tiroir que tu n'avais pas ouvert depuis des mois, mais elle est aujourd'hui dans tes mains et tu sens que le moment est venu d'assassiner ces souvenirs anciens.

Alors tu dois prendre la photo comme un parallélépipède parfaitement horizontal et, c'est le plus important, devant une de ces fenêtres qui semblent reprocher à la pièce sa lumière blafarde.

Ce n'est pas toi qui déchireras la photo. C'est quelqu'un d'autre, quelqu'un de plus courageux ou de plus impersonnel, un autre je-tu qui flotte dans le vide derrière les vitres.

Tu verras cette personne faire un mouvement de crabe avec les doigts, ses mains s'écarter de chaque côté et chacune emporter un morceau presque semblable de la photographie. Puis cette même personne rassemblera les morceaux et refera le même geste une, deux, trois fois, plus si elle l'estime nécessaire, jusqu'à ce qu'inexpliquablement tu sentes la fatigue dans tes doigts.

Par la vitre, tu verras tomber des flocons de neige trop gros pour être graciles et violeurs des lois de la gravitation. Ils tombent vite et, quand tu regarderas le tapis, tes yeux verront les vestiges mutilés d'un souvenir dont rien ne peut plus être sauvé.

Dimanche de pluie

Dans la rue il pleut et vous êtes debout devant votre porte à attendre que la cigarette finisse de se consumer entre vos lèvres. Vous vous demandez où vous pourriez bien aller.

Aujourd'hui c'est dimanche et les dimanches sont coupables de la solitude des trottoirs.

Vous tenez un parapluie dans une main, c'est un parapluie noir qui, replié, a quelque chose d'un oiseau sinistre.

Vous ouvrez le parapluie sans vous soucier de bien le secouer. Et vous voilà responsable de tous ces souvenirs qui vous tombent sur la tête.

Vous commencez à marcher sous le parapluie et vous sentez qu'il est trop grand. Vous éprouvez la même sensation d'architecture abandonnée en contemplant le siège vide de l'auto ou la moitié du lit vide, inutilement grand. Cette solitude des lits où poussent si fertilement les champignons de l'oubli.

Au-delà du parapluie tombe la pluie, mais sous le parapluie pleuvent les réminiscences de jours dont on ne peut se souvenir sans se sentir coupable de n'avoir pas pris les précautions nécessaires.

Vous continuez à marcher sous le parapluie. Vous le changez de main, vous faites tous les trucs inutiles d'un homme seul un dimanche matin, vous essayez de vous convaincre que vous occupez tout l'espace, qu'il ne manque rien ni personne sous la toile noire. Mais vos astuces ne font qu'accroître votre solitude de marcheur dominical.

Vous percevez alors l'écho de vos pas. Ce rythme qui scande les marches forcées, fouet de galérien ou roulements de petits tambours en fer-blanc qui accompagnent guignol jusqu'à la guillotine. Vous éprouvez alors un désir irrépressible de pleurer et naturellement vous pleurez.

Il suffira de baisser le parapluie jusqu'à ce que la perspective luisante de la rue soit effacée par la toile noire sur laquelle s'arrêtera votre regard, et vous ne verrez plus que le jeu des baleines, cette ossature argentée de chauve-souris matinale, et si vous craignez que quelqu'un vous voie, il vous suffira de refermer discrètement le parapluie sur votre tête enfouie entre les baleines, comme si vous étiez en train de vérifier la perfection du mécanisme tandis que la pluie tombe sur vos épaules, qui tressaillent parfois, et que vos larmes se confondent avec l'humidité de la toile.

My favorite things

Il est tranquillement assis en train de contempler l'immobilité du soir. Il joue à deviner les reflets de l'eau sur la fenêtre, les éclats de lumière qui filtrent à travers les plantes, il regarde parfois la pendule sans la moindre intention de connaître l'heure exacte parce que tout simplement ça lui est égal.

Rien de plus immobile que le soir avec sa routine mortelle de rideaux tirés aux fenêtres, de lueurs moribondes qui éclairent des intérieurs assoupis, de grilles qui répriment tout désir de sortir acheter des cigarettes, de rues aux lumières blafardes qui projettent des obélisques sur le pavé. Le soir colle à la fumée de la cigarette, prend une teinte bleue si fine qu'elle se déchire quand il se souvient qu'il vient de lire un article sur la mort de Thelonious Monk, et il lui semble stupide de s'être laissé surprendre en pleine rue par l'annonce du décès d'un homme qu'il n'a jamais connu et dont il a toujours été séparé par une telle distance que se mettre maintenant à la calculer, peut-être en consultant l'Encyclopédie ne servirait qu'à renforcer ces ombres immobiles et cette odeur d'urine.

Il sait qu'il a une cassette du quartet de Thelonious Monk quelque part et il sait aussi que John Coltrane est au saxophone soprano, et qu'il y a si longtemps qu'il a écouté

My favorite things pour la première fois que ce n'est pas la peine de faire appel aux calendriers du souvenir.

Il se met à chercher à quatre pattes, à ôter la poussière des cassettes, à lire paresseusement les inscriptions en couleur, en notant la fuite des années sur les mots à moitié effacés, et il finit par trouver.

My favorite things et Thelonious Monk mort récemment à l'autre bout du monde, peut-être dans une odeur de cigarettes semblable à celle qui envahit cette pièce où le soir s'est arrêté et pèse de tout son poids. Au saxophone soprano le tempo sensuel de John Coltrane.

Il débouche une bouteille de vin et se prépare à rendre un hommage posthume à ce mort dont le cri monte des pages du journal. Il introduit la cassette dans l'appareil et s'assied pour attendre les premières notes, mais le seul son qui parvient à ses oreilles est le ronronnement mécanique d'un chat asthmatique.

Il pense que c'est un défaut de l'enregistrement, ce qui est normal car les premières cassettes ont été enregistrées à la va-vite, sans autre souci que celui de ne pas oublier, afin de capturer la musique et ces tonalités qui avaient autrefois empli les salles. Cette musique restait le témoignage de jours qui avaient un début et une fin bien établis. Mais l'heure n'était pas aux bilans prématurés ou peut-être tardifs. Ainsi passent quelques instants qui deviennent insupportables et il arrive à la conclusion que la cassette est détériorée. Trop longtemps sans être écoutée, trop de voyages. Quelques gouttes d'huile, peut-être.

Il va à la cuisine et revient avec le couteau à pain, dévide la bande et découvre qu'elle est coupée, imperceptiblement coupée, et il soupire satisfait.

Il est de nouveau à quatre pattes, dans l'attitude concentrée d'un chirurgien pendant une urgence. Il transpire légèrement, ses doigts lui semblent trop gros, maladroits pour réussir une opération aussi délicate, mais finalement il y arrive. Il referme le boîtier et à l'aide d'un stylo à bille il retend la bande, replace la cassette dans l'appareil et se prépare, cette fois sûr de lui, à couper court, grâce à *My favorite things*, à toute ratiocination sur l'immobilité du soir et, pour couronner son triomphe, il remplit son verre à ras bords.

Il est d'abord étonné de ce qu'il entend. Il pense que c'est peut-être un passage dont il ne se souvient pas, mais c'est indiscutablement un sanglot, oui, des pleurs de femme, un sanglot à peine réprimé, derrière lequel on entend des voix, des mots de consolation, des voix tellement étouffées qu'il ne parvient pas à comprendre ce qui est dit, alors il se redresse, monte le volume, colle son oreille au haut-parleur et reconnaît la femme qui pleure. C'est sa mère.

Entrecoupée de sanglots, la voix parle de rêves et d'espoirs, là-bas de l'autre côté de l'océan, elle verse des larmes douces mais désolées et, malgré les mots de consolation qui couvrent sa voix, elle parvient à prononcer des paroles plus intelligibles à propos d'une nouvelle qu'elle avait toujours attendue, ou de sa peine de ne pouvoir être là-bas avec lui, puis il arrive à identifier parmi d'autres voix celle de son frère : c'est la plus forte, la plus décidée, celle qui parfois remâche avec toute la rancœur possible le mot merde ; il distingue ensuite les voix d'oncles et de cousins éloignés dont il croyait avoir perdu le souvenir. Parents et amis auxquels il a si souvent promis une lettre, mais il n'a pas été plus loin que l'en-tête et la lettre a fini dans la corbeille à papiers avec les bouchons et les mégots des innombrables cigarettes fumées pendant des nuits d'attente et de semence perdue.

Il écoute debout, le front collé à la vitre, mais de l'autre côté de la fenêtre il n'y rien d'autre que les ombres d'un soir qui agonise ; les voix se succèdent, il entend un bruit de tasses, des murmures qui proposent un verre de cognac et quelqu'un qu'il ne peut pas non plus identifier qui demande qu'on serve la vieille, puis des pauses mises à profit par l'impudeur du chat asmathique qui insinue son ronronnement entre les voix, ce chat invisible installé dans tous les magnétophones du monde et qui opacifie la voix de l'oncle Julio, lequel dit, heureusement que la sécurité sociale du pays où il se trouve est très efficace, et les cousins éloignés ne tarissent pas d'éloges sur la perfection de l'administration européenne, et tous affirment à l'unisson qu'il n'y a plus de quoi s'inquiéter, que bien que ces choses-là soient toujours dures, il faut penser que le pauvre petit va enfin pouvoir se reposer, parce qu'on sait tous qu'il est sorti de prison très malade et que, pauvre petit, il n'a jamais rien dit, il est resté courageux jusqu'au bout, déclare une voix qui se propose de faire les démarches au consulat et de s'informer demain sans faute sur les prix de la Lufthansa, mais il aurait peut-être aimé rester au pays avec le vieux ; oui, c'est cela qu'il aurait aimé, et il appuie sur le bouton stop.

Il regarde la rue et elle lui paraît plus solitaire et immobile que jamais. Il se prépare à sortir, mais cette fois sans prendre ses clés parce qu'il sait qu'il ne franchira jamais plus ce seuil qui pue l'urine, qu'il n'habitera jamais plus cet appartement d'homme solitaire et qu'il n'écoutera jamais plus *My favorite things* interprété par le quartet de Thelonious Monk, avec John Coltrane au saxophone soprano.

Rendez-vous manqués avec le temps qui passe

À propos du journal d'hier

Il versa le café dans la tasse, un peu de lait, une demi-cuillerée de sucre, il remua et attendit que ça refroidisse. Comme chaque matin, il se sentit de mauvaise humeur en constatant que le beurre était dur, que c'était une absurde brique jaune enveloppée dans un emballage transparent.

Comme chaque matin il se livra à la même cérémonie : il jeta la tranche de pain dans la corbeille et alluma une cigarette pour accompagner son café presque froid. Il ouvrit le journal.

En deuxième page il y avait la météo. Aujourd'hui il pleuvrait de nouveau. Un peu plus bas, il découvrit un rectificatif, encadré de noir afin de bien faire ressortir qu'il s'agissait d'un communiqué important et qu'il avait été payé.

« Dans notre publication, hier, des Nouvelles Dispositions Constitutionnelles, chapitre XV, page 62, colonne 2, paragraphe 6, ligne 5, là où il est dit : *seront décorés par la nation*, il fallait lire : *seront condamnés par la nation.*

Après cette juste et nécessaire mise au point, nous considérons accompli notre devoir d'éditeurs. »

Il finit de boire son café, laissa la tasse sur l'évier et mit ses chaussures. Il jeta un regard à sa veste impeccablement repassée et au porte-documents suspendu à la porte, et décida qu'il était temps de partir. Sur une tablette étaient posés les clefs, le ticket de métro hebdomadaire, le nouveau paquet de cigarettes, le mouchoir et la lettre pour maman.

En remontant la pendule, il pensa qu'il avait le temps de prendre une autre tasse de café et de fumer une nouvelle cigarette. Il reprit le journal sur la table et relut l'encadré. Les mots dansaient dans sa tête et il alla vers l'étagère pour consulter le dictionnaire.

« *Décoré :* Qui a une décoration.

Condamné : Frappé d'une peine pour des actes contre la loi. Pervers, démoniaque, nocif[1]. »

Il prit le téléphone et fit le numéro du ministère, écouta les tonalités qui indiquaient la disponibilité de la ligne et quand il entendit quelqu'un décrocher à l'autre bout de la ville, il raccrocha l'appareil.

Il revint à la table et se servit une deuxième tasse de café. Il décida qu'il valait mieux, par les temps qui couraient, ne pas se compromettre et il fit un rapide inventaire de ses biens disponibles : un paquet et demi de cigarettes, une demi-boîte de café, une plaque de beurre congelé, un pain entier, quelques fruits et une bouteille de vin.

Il enleva ses chaussures et regarda la rue par la fenêtre. Il lui sembla qu'il y avait moins de gens que d'habitude, pourtant les enfants de l'école voisine jouaient autour de la bouche d'incendie.

Il décida d'attendre midi.

Il somnolait devant la table lorsque le cri de l'édition

1. *Condenado* signifie condamné et damné.

spéciale du journal le propulsa comme un ressort jusqu'à la porte. Il hésita en constatant qu'il n'avait pas les clefs, il les attrapa au vol et dévala les escaliers. Il payait le journal quand il découvrit qu'il était en chaussettes, il se sentit un peu confus, mais pensa qu'en de tels moments cela n'avait pas la moindre importance.

Il revint à sa table et ouvrit fébrilement le journal. En première page, encadré d'un sévère rectangle, se trouvait le rectificatif :

« À la suite de rumeurs irresponsables qui signalent une infiltration de puissances ennemies comme cause de l'erreur que nous avons commise involontairement dans la publication des Nouvelles Dispositions Constitutionnelles, chapitre XV, page 62, colonne 2, paragraphe 6, ligne 5, où il est dit : *seront décorés par la nation*, alors qu'il fallait lire : *seront condamnés par la nation*, nous devons opposer le démenti le plus catégorique et indiquer que cela est dû à une défaillance visuelle de l'ouvrier typographe. Cette mise au point faite, nous considérons accompli notre devoir devant la loi.

Les éditeurs. »

Il déboucha la bouteille de vin et le verre à la main il alla au téléphone et fit le numéro du ministère. Il écouta longuement la sonnerie, mais personne ne décrocha à l'autre bout du fil. Il raccrocha. Il vint devant la fenêtre et vit qu'il commençait à pleuvoir. La rue était déserte. Il n'y avait qu'un chien qui flairait les poubelles.

Il se dirigea vers la penderie avec une sensation de tragédie collée au palais qui l'empêchait de percevoir la saveur du vin. Il sortit la boîte à chaussures qui contenait les documents importants et les lettres de maman.

L'une après l'autre il lut les enveloppes et retira celle qui portait sur le coin gauche l'en-tête du ministère. Il revint à la table.

« Monsieur le Ministre est heureux de vous présenter ses plus chaleureuses félicitations pour avoir accompli vingt-cinq ans de bons et loyaux services dans nos bureaux. Monsieur le Ministre a décidé que ces félicitations figureraient à l'ordre du jour, et vous rappelle que le lundi 27 de ce mois sera organisée une cérémonie en votre honneur (à la fin de la journée de travail), dans la salle du personnel.

Signature (un tampon bleu) :

Le Secrétaire. »

Il regarda le calendrier. La page portant le chiffre 27 dansa sur ses pupilles et il relut le rectificatif du matin. Il soupira, alluma la télévision et se perdit dans l'intrigue d'un film d'espionnage.

Il se décida à se lever quand le présentateur annonça qu'avec l'hymne national s'achevaient les programmes de la journée du 27, et l'écran se remplit de neige. Il regarda la pendule. Il était minuit et demi.

Il réfléchit un instant devant le calendrier et arracha violemment la page du 27. Il inaugura le 28 par un soupir et le froissement de la page dans sa main.

Une fois dans la chambre, il rejeta l'idée de se mettre en pyjama. Il se dit qu'il devait être prêt à affronter de graves événements et il se coucha donc tout habillé sans éteindre la lumière.

Il était en train de fumer dans le lit quand il entendit le journal que l'on glissait sous la porte. Il se redressa aussitôt, remit de l'ordre dans ses cheveux, chercha ses lunettes sur la table de chevet et se leva pour aller le chercher.

Le rectificatif figurait en première page, encore encadré d'un sévère trait noir.

« Il est de notre devoir d'informer l'opinion publique de ce qui suit :

1) Nous avons publié, conformément à la loi, une mise au point et un errata à la suite de l'erreur que nous avons involontairement commise dans la publication des Nouvelles Dispositions Constitutionnelles, chapitre XV, page 62, colonne 2, paragraphe 6, ligne 5, où il est dit : *seront décorés par la nation*, alors qu'il fallait dire : *seront condamnés par la nation*.

2) L'erreur involontaire ici mentionnée est due uniquement et exclusivement à une défaillance visuelle du typographe chargé du travail et en aucun cas à l'infiltration de puissances ennemies, ainsi qu'on a tenté de façon insidieuse et irresponsable de le présenter à l'opinion publique.

3) Nous ne portons aucune responsabilité dans les exécutions de l'Excellentissime Président de la République et de ses douze ministres, fusillés à l'aube à la caserne des Hussards de la Patrie, ce que nous déplorons profondément.

4) Nous déclarons enfin qu'avec ces nécessaires éclaircissements nous considérons avoir accompli notre devoir devant la loi et clos le pénible débat que l'on a voulu nous imposer.

Les éditeurs. »

Il but le café presque froid en relisant l'encadré, il avait au fond de la gorge le désagréable goût des nombreuses cigarettes fumées pendant la nuit. Il se leva. Il mit sa veste. Il prit les clés, le ticket de métro, les cigarettes, le mouchoir, la lettre de maman, le porte-documents et alors qu'il allait fermer la porte, il décida d'aller chercher le parapluie, car le journal annonçait en page deux qu'il allait de nouveau pleuvoir.

Un homme qui vendait des bonbons dans le parc

La vie est si grande. Il y a un instant, il m'a semblé que ce que j'avais fait était prévu depuis dix mille ans ; après j'ai cru que le monde se fendait en deux, que tout prenait une couleur plus pure et que nous autres hommes n'étions plus si malheureux.

Le Jouet enragé, Roberto Artl

Moi, je n'ai jamais rien fait de mal.

Tout ce que je sais c'est que je dois me lever à six heures du matin pour avoir le temps d'arranger la corbeille qui est toujours en désordre. Il me faut du temps pour savoir combien de bonbons à la menthe, à l'anis ou à la violette je vais devoir acheter. Il me faut du temps pour savoir combien de barres de chocolat sont cassées ou ont fondu dans l'emballage, ou combien de petits soldats de massepain ont perdu leur allure de guerrier et ne sont plus que d'inutiles paires de jambes ou de petits visages souriants avec un fusil de bois, cassé lui aussi.

Il me faut du temps pour faire les petits paquets de pièces de dix, vingt, vingt-cinq et cinquante centimes. Avec du papier journal je dois faire des rouleaux parfaits et écrire ensuite à l'encre noire la somme qu'ils contiennent. Il me faut du temps pour faire tout ce que j'ai dit, en plus de préparer ma lessive, tartiner mon pain de margarine et sortir rapidement avec la petite table pliante et la corbeille afin d'attraper le minibus de sept heures.

Moi, je n'ai jamais rien fait de mal, mais je dois faire très attention avec les gens. Il y en a toujours qui ne me connaissent pas, qui regardent mes cheveux coupés trop ras, qui regardent mes yeux, trop grands à ce qu'ils disent, alors que moi il ne me semble pas, qui regardent les vêtements qu'on me donne à l'asile et que je porte propres et repassés, et, ce qui est pire, il y en a toujours qui essaient de me voler quelque chose quand la corbeille n'est pas bien fermée parce qu'il y a trop de bonbons. Ça se passe en général le lundi et le jeudi, les jours où je vais au magasin pour acheter les friandises qui me manquent.

Quand j'arrive sur la place, il n'y a encore que les pigeons, et on dirait qu'ils me connaissent tellement bien que mon emplacement est le seul qui ne s'éveille pas comme s'il avait neigé, enfoui sous les fientes d'oiseaux. Je crois que les pigeons me remercient des mies de pain que je ramasse chez moi et que je leur porte tous les vendredis dans une poche en plastique. Je crois que les pigeons le savent et c'est pour ça qu'ils respectent mon emplacement, au contraire de ce qui se passe avec le petit muet qui cire les chaussures. Lui, il leur jette toujours des pierres et essaie d'attraper les plus jeunes. Il dit que les pigeons mijotés avec beaucoup d'ail c'est très bon pour les poumons. Je crois que les pigeons n'aiment pas le petit muet ; le matin, son endroit est toujours couvert de merde blanche et ça le rend furieux.

Quand j'arrive sur la place la première chose que je fais c'est de me signer devant l'image du Seigneur des Miracles, mais en tout cas, à lui, je ne demande jamais rien. Je ne sais pas, ça me fait honte de lui demander quelque chose, lui qui a toujours l'air très sérieux et plein de cierges, les plus chers, en train de fondre à ses pieds. Non. Je ne lui demande rien, simplement je me signe et j'ai très peur en voyant ses yeux terribles qui reflètent les flammes des cierges, on dirait qu'ils lancent des étincelles. J'ai peur aussi de sa cape de velours rouge, de la même couleur que celle de l'évêque les jours de procession quand tous les saints sont de promenade, et je dois faire plus attention que d'habitude, parce que ce jour-là il n'y a d'yeux que pour les saints et l'an dernier on a renversé deux fois ma petite table pliante, piétiné les bonbons et les chocolats, et je suis resté plusieurs jours sans rien à manger.

Celle à qui je demande que la journée soit bonne, c'est la petite Vierge de la Pitié. La petite Vierge est plus petite que le Seigneur des Miracles et je la vois tous les jours avec son mignon visage de plâtre très souriant, comme si elle avait bien dormi, et comme si de bon matin, avant qu'on arrive à la place, quelqu'un l'avait lavée avec de l'eau de giroflée. À elle, oui, je demande que ce soit une bonne journée, qu'il ne pleuve pas, qu'on ne me vole rien, qu'il y ait beaucoup de collégiens et qu'ils m'achètent tout ce que j'ai dans la corbeille. Je lui demande aussi d'empêcher que je me trompe quand on me paie avec un gros billet et que je dois rendre la monnaie. Quand ça m'arrive, je deviens très nerveux et quand je suis nerveux mon visage dégouline de sueur, tout le corps me démange et je sens monter de mon ventre une mauvaise odeur qui peut faire fuir les clients. Quand je suis nerveux je ne peux presque plus parler et alors j'ai vraiment l'impression que mes yeux s'agrandissent.

La petite Vierge n'a presque jamais de cierges fins allumés. Seulement de ces bougies qui éclairent les maisons des gens qui vivent de l'autre côté de la rivière et qu'ils appellent des chandelles. C'est celles-là les siennes, des bougies bon marché, et parfois je lui en ai apporté un paquet entier pour la remercier des bonnes journées qu'elle m'a données, des journées où j'ai vendu presque toutes les sucreries et les barres de chocolat et où aucun petit soldat de massepain ne s'est cassé dans la corbeille, et parce que plein d'enfants sont venus sur la place, parce qu'il n'a pas plu et parce qu'on ne m'a rien volé.

À sept heures et quart du matin j'installe la table pliante et je dispose les gâteaux et les bonbons par goûts et par couleurs, les chocolats selon les prix, en laissant bien sûr les plus chers à portée de main et en alignant les petits bonshommes de massepain comme pour un défilé, en rangs serrés les petits soldats, et le porte-drapeau en tête.

J'aime bien les aligner ces petits bonshommes. Chaque fois que je le fais, ça me rappelle d'autres temps, quand une femme m'emmenait par la main voir les défilés et m'achetait des glaces à la vanille. D'autres temps où je chantais rataplan plan rataplan au passage des tambours à cheval qui faisaient trembler le sol. C'est pour ça que parfois, quand j'aligne les petits bonshommes de massepain, je chante encore rataplan plan rataplan, mais doucement, parce que si quelqu'un m'entend j'ai très honte et je deviens nerveux, et j'ai déjà dit ce qui m'arrive quand je deviens nerveux.

Quand le carillon sonne sept heures et demie, avec cette musique qui me plaît tant parce qu'elle fait danser les pigeons, tout est prêt et j'attends les premiers collégiens.

Moi, je n'ai jamais rien fait de mal. Tout ce que je fais c'est me lever à six heures du matin pour arriver à bien faire mon travail. Je le sais très bien, je suis sûr de n'avoir jamais rien fait de mal, c'est peut-être pour ça que je suis devenu si nerveux le jour où les hommes en auto sont venus, les hommes avec des lunettes de soleil, qui m'ont demandé ma licence de vendeur.

Je la leur ai donnée et ils ont ri, j'ai pensé que c'était de nouveaux inspecteurs de la municipalité, qu'ils regarderaient ma licence, qu'ils se rendraient compte que tout était en ordre, mais ils ont ri et ils ont emporté ma licence.

Je sais que les hommes de l'auto viendront encore aujourd'hui, comme ils sont venus d'autres fois.

Je me sens déjà nerveux, tellement que je n'arrive presque plus à parler. Je dégouline de sueur, tout le corps me gratte, je sens une mauvaise odeur qui monte de mon ventre, cette odeur rance de crapaud pourri qui risque de faire fuir les clients. Ils vont revenir, ils mangeront une ou deux barres de chocolat, les plus chères, sans me payer, ils éclateront de rire quand je leur demanderai de nouveau ma licence, et je devrai leur donner tous les numéros des voitures qui se sont arrêtées devant la librairie cette semaine.

Je sais qu'ils ne me rendront pas ma licence bien que j'aie beaucoup prié la petite Vierge de la Pitié et qu'à eux aussi j'aie dit que je n'avais jamais rien fait de mal.

Une voiture s'est arrêtée au milieu de la nuit

Une voiture s'est arrêtée en bas. Je peux voir d'ici les lumières qui se reflètent sur le toit. Et je peux même voir les grosses gouttes de la dernière pluie qui glissent en traçant des sentiers.

La voiture s'est arrêtée il y a quelques minutes, mais les portes ne s'ouvrent pas. Elle reste immobile le long du trottoir, devant l'entrée de l'immeuble où je vis encore.

Personne ne descend de la voiture. Elle est arrivée, s'est arrêtée, a coupé le moteur et elle est restée simplement immobile, aussi immobile que la nuit, mais personne n'en est descendu.

Quand la voiture s'est arrêtée, elle a aussitôt éteint ses lumières. Moi aussi.

La voiture est noire, du moins c'est ce qui me semble vu d'en haut. Peut-être qu'elle n'est pas entièrement noire, je ne sais pas, il fait sombre dans la rue, et je ne sais non plus pourquoi je persiste à tenir entre mes mains ce livre à couverture jaune. Je ne me rappelle pas le nom de l'auteur, ni l'histoire, je ne me rappelle même pas l'avoir lu, mais il persiste à rester entre mes mains.

Dans la rue il n'y a personne. Personne qui sorte promener le chien ou acheter quelque chose, et je sais très bien que c'est normal à pareille heure, mais j'aimerais voir passer quelqu'un, quelqu'un avec un sac à la main, quelqu'un qui s'arrêterait un instant devant la porte ; comme ça je pourrais voir sa tête et la pointe de ses pieds, les bords du chapeau et la pointe des pieds, c'est toujours ce que je vois d'ici. J'aimerais que ce soit quelqu'un de jeune. Qu'il s'arrête et remarque lui aussi la voiture. Mais personne ne passe. Personne n'emprunte cette rue et je sais que c'est parfaitement normal.

La voiture est longue, c'est du moins ce qu'il me semble vu d'en haut. Elle porte à l'avant, au-dessus du moteur, une longue baguette chromée qui se perd dans l'ombre. Et deux bagues métalliques brillantes qui se sont éteintes quand elle s'est arrêtée. À l'arrière, une frange un peu moins sombre délimite les contours du coffre. Je l'ai bien regardée et, d'en haut, je pourrais reconnaître cette voiture n'importe où, mais c'est difficile de toujours regarder les voitures d'un cinquième étage.

Je suis debout à la fenêtre, il y a du bruit dans l'appartement du dessus. J'aimerais que tout soit silence, comme ce silence que je garde et qui m'enveloppe alors que je me tiens debout à la fenêtre en sentant sur mon épaule la surface froide du mur.

J'essaie de rester calme, car si je ne bouge pas, si je ne respire pas, si je ne dis rien, et même si je ne pense pas, si je n'essaie pas de lâcher ce livre à couverture jaune qui persiste à rester entre mes mains, alors il est probable que la voiture allume ses phares, déclenche le ronronnement du moteur et s'en aille. Et je pourrai descendre, acheter des cigarettes et aller chez Braulio. Tout ce qu'il faudrait c'est que les gens du dessus comprennent mon besoin de silence et que la voiture s'en aille.

Dès que la voiture sera partie, j'irai chez Braulio et je lui raconterai qu'une voiture s'est arrêtée devant ma porte. Je lui dirai aussi que j'ai eu très peur et Braulio dira que ça n'a pas d'importance, parce que lui et moi savons qu'il ne me reste pas beaucoup de jours à passer en ville.

Je sais que Braulio me laissera habiter chez lui pendant les quatre jours qui me restent. La maison de Braulio est sûre. Jamais une voiture ne s'arrêterait devant chez Braulio.

Mais la voiture est encore en bas et il me semble qu'on fume à l'intérieur. D'en haut, j'ai vu s'allumer brièvement une petite lueur jaune. Allumette ou briquet, je ne sais, je peux pas le préciser. D'ici, il est très difficile de distinguer de si petits détails.

Je suis là, à la fenêtre, très calme, très silencieux, quand la foudre éclate dans la chambre ; je sursaute, je regarde la voiture à l'arrêt, tous feux éteints, et l'appartement se remplit de bruits criards, comme ceux d'un grillon géant, qui me donnent envie de hurler que j'ai besoin de silence, de silence et de temps. Mais les coups de couteau du téléphone lacèrent ma peau, les murs, déchirent tout, je vais sur la pointe des pieds jusqu'à la table de chevet et je décroche. C'est Alicia.

Alicia ne sait pas qu'il y a une voiture arrêtée en bas devant la porte. Alicia ne sait pas que je suis depuis des heures debout à la fenêtre. Alicia ne sait pas que le téléphone m'a donné la chair de poule. Alicia ne sait pas que je tremble, qu'une sueur glacée coule dans mon dos et c'est peut-être pour ça qu'elle me demande ce qui m'arrive, pourquoi je parle si doucement, et quand je lui dis que je suis désolé, qu'il vaut mieux qu'elle raccroche, que je suis très occupé, Alicia me demande s'il y a quelqu'un avec moi et je lui dis que non, que je suis simplement occupé, alors Alicia devient triste à l'autre bout de la ville et dit que c'est sûr qu'il y a quelqu'un d'autre avec moi dans l'appartement, et elle le dit avec cette façon qu'elle a de hausser imperceptiblement le ton, de sorte que son cri ressemble à un murmure emporté. Je lui dis que non, ce n'est pas vrai, que ce qui se passe c'est que j'attends un appel important.

Alicia commence à sangloter et je presse l'écouteur sur mon oreille parce que j'ai besoin de silence, de silence et de temps, parce qu'il y a déjà un bon moment qu'une voiture s'est arrêtée en bas de chez moi.

J'ai du mal à convaincre Alicia que je l'appellerai plus tard, quand j'aurai reçu l'appel que j'attends, et je lui dis que demain sans faute nous irons au théâtre et que nous achèterons le disque d'Harry Belafonte que nous avons écouté chez Braulio. Alicia me demande si je l'aime et je réponds que oui, je l'aime, parce que c'est vrai, bien qu'elle m'appelle en ce moment où la seule chose dont j'aie besoin c'est de silence, de silence et de temps, mais je ne lui ai encore rien dit au sujet de mon voyage.

Quand Alicia raccroche, je reviens à la fenêtre. En bas, la voiture est encore là, phares éteints, et quand je me penche pour allumer une cigarette, j'entends une portière qui s'ouvre. Je souffle l'allumette et je me colle au mur en retenant ma respiration afin de pouvoir mieux entendre.

Je suis collé au mur comme une mouche, frôlant les étagères où sont rangés mes disques que j'offrirai à Braulio, parce que je sais qu'il me laissera habiter chez lui les quelques jours qui me restent. Je sais que Braulio m'aidera demain. Je sais que nous garerons sa voiture juste à l'endroit où se trouve celle d'en bas, d'où viennent de sortir des hommes, et nous emporterons les disques et les livres, et des vêtements chauds, parce qu'il me faudra des vêtements d'hiver, il fait sûrement très froid là-bas à cette époque. Je suis là, collé au mur et maintenant j'entends les hommes qui montent l'escalier. J'entends leurs pas, ils marchent lentement et je devine au changement de rythme qu'ils atteignent un palier.

Ils sont arrivés à l'étage et marchent dans le couloir. Ils doivent regarder les numéros des portes. Oui. C'est ça. Ils s'arrêtent tous les trois ou quatre pas. Je crois qu'ils ont du mal à lire avec l'éclairage qui est très faible. L'ampoule est toute petite.

Je sais qu'ils sont à présent devant ma porte et qu'ils regardent le numéro, l'un d'eux se penche pour lire mon nom inscrit sur une plaquette de bronze. Je me dis qu'ils vont peut-être continuer jusqu'au bout du couloir et voyant que tout est sombre et silencieux, ils croiront qu'il n'y a personne, qu'on leur a donné une mauvaise adresse, peut-être redescendront-ils l'escalier, peut-être ont-ils entendu la sonnerie du téléphone qui a retenti dans la chambre quand Alicia a appelé.

Ils sont maintenant devant ma porte, je vois une ombre qui bouge et interrompt le rai de lumière qui s'étire sur le sol. C'est une ombre presque immobile, une ombre qui est peut-être le fruit de ma nervosité, ou de mon imagination qui me joue de mauvais tours, je ne sais pas, ou plutôt si, je sais que tandis que je suis ici silencieux, très silencieux et collé au mur comme une mouche, quelqu'un est de l'autre côté de la porte.

Tout n'est plus qu'un énorme silence et, à travers les vitres, je peux voir le vent dans les arbres. Il est possible qu'ils vérifient le numéro de ma porte, il est possible qu'ils appellent leur chef avec un téléphone portable, il est possible qu'ils appellent leur central pour demander des instructions, il est possible qu'ils se disent que tout est obscur et silencieux, il est possible qu'ils fument une cigarette et rebroussent chemin, il est possible que lorsqu'ils arriveront à la voiture je puisse les entendre démarrer et s'éloigner. Alors, j'attendrai quelques minutes avant de descendre, j'achèterai des cigarettes et j'irai chez Braulio, je lui dirai qu'une voiture s'est arrêtée en bas, devant ma porte, que quelqu'un est monté et que je suis resté en silence tout le temps, presque sans bouger, les lumières éteintes. Je dirai à Braulio que j'ai réussi à les tromper, que j'ai eu très peur mais que j'ai pu les tromper et qu'ils sont partis. On est bien chez Braulio, il me permettra de rester pendant ces quelques jours, bien qu'il ne sache pas encore que j'ai l'intention de lui laisser les disques et les livres, et voilà que maintenant j'entends comme un son métallique, oui, un bruit de métal que l'on frotte rapidement et j'entends aussi les coups contre la porte.

Je suis collé au mur tandis que les coups redoublent contre la porte. Je me dis que si je reste ainsi, immobile, parfaitement immobile et silencieux, ils penseront que je ne suis pas là, que l'appartement est vide et ils s'en iront, je les entendrai descendre l'escalier qui grince, mais les coups sur la porte continuent et je ne sais pas si je suis silencieux ou si je crie qu'il n'y a personne, que je ne suis pas là, qu'ils s'en aillent, que j'ai besoin de silence, de silence et de temps, parce que cela fait déjà un bon moment qu'une voiture s'est arrêtée en bas, tous feux éteints, et dans la rue il n'y a personne qui puisse voir sa couleur noire ni les petites lueurs qu'on aperçoit à l'intérieur chaque fois qu'ils allument une cigarette, mais les coups sur la porte continuent, interminablement, et je peux sentir, maintenant oui, ma propre voix qui s'étrangle de peur en criant qu'ils s'en aillent, qu'il n'y a personne, que je ne suis pas là, que je n'ai jamais été là, et eux demandent que j'ouvre la porte sinon ils vont tirer et, tandis que les coups sur la porte continuent, je grimpe sur le fauteuil et de là j'atteins la fenêtre, je l'ouvre et je sens entrer dans la pièce le vent humide de l'hiver qui fait un bruit sourd contre les meubles et je vois la voiture qui est encore en bas, tous feux éteints, et je peux voir sur le capot une longue baguette chromée qui se perd dans l'ombre et je vois aussi deux bagues brillantes sous la pluie, et les coups sur la porte me semblent lointains, de plus en plus lointains, tandis que l'image de la voiture se rapproche rapidement de mes pupilles et qu'une femme, je ne sais où, se met à crier.

Souvenirs patriotiques

Un homme se lève à sept heures du matin et sort avec toute sa famille devant sa maison située dans un quartier populaire de Santiago.

Il aligne tout son petit monde en rangs d'oignons et commence à hisser le drapeau argentin tandis que les bouches entonnent l'hymne de la nation soeur avec des marques d'émotion sincère.

Le fait est observé par un fonctionnaire du ministère des Relations extérieures, qui passe par hasard en voiture dans le quartier et consulte aussitôt son agenda.

Il repart à toute vitesse et arrive réellement bouleversé à son bureau. Il ordonne à la secrétaire de prendre les mesures nécessaires en vue d'une révision minutieuse des dates commémoratives.

À neuf heures du matin tout le département ministériel s'est transformé en un océan de consultations et d'accusations réciproques d'incompétence administrative, voire de sabotage. En mesure d'urgence, on suspend l'accueil du public et on expulse violemment un personnage aux vêtements excentriques, qui se prétend, en français, le seul représentant autorisé de la République Fédérale Indépendante de Janubi, située sur la côte sud-ouest du lac de Sonalia, lequel, à cause d'une erreur de la revue *National Geographic*, figure sur les cartes sous le nom de mer de Bérénice.

À neuf heures trente-cinq, le ministre des Relations extérieures comprend qu'il est seul et que tous ceux qui l'entourent sont une bande d'incapables. Il prend donc comme première mesure l'envoi d'une gerbe au monument équestre du général San Martín et téléphone à son collègue le ministre de l'Éducation et de la Culture, afin que celui-ci ordonne le rassemblement immédiat des élèves et des professeurs des établissements scolaires proches de la zone.

À onze heures trente-cinq, devant la statue du héros, mille deux cents élèves et une cinquantaine de professeurs bien alignés attendent l'arrivée du chargé d'affaires de la nation sœur, que la nouvelle a surpris sur le fauteuil de son dentiste, bouche ouverte à cause de la couronne en or, encore chaude, de l'incisive gauche.

À onze heures cinquante, heure protocolaire, le chargé d'affaires arrive sur les lieux et, d'une voix bredouillante d'émotion, dit que cette cérémonie réaffirme une fois de plus les liens indissolubles qui unissent nos deux peuples dans leur marche vers des lendemains meilleurs. Son allocution provoque une longue ovation des élèves et le chargé d'affaires regarde avec une secrète envie les fonctionnaires du protocole chilien, qui se sont souvenus, seul le diable sait pourquoi, de ce jour mémorable.

Aussitôt après, un fonctionnaire du ministère des Relations extérieures monte sur l'estrade et évoque l'héroïsme dont ont fait preuve Chiliens et Argentins lors de la bataille qu'ils célèbrent aujourd'hui avec tant d'émotion.

Les discours sont protocolairement laconiques et un professeur de la « section lettres » du collège Sarmiento clôt la cérémonie en lisant d'une voix mielleuse des vers de *Martín Fierro*.

Puis des gerbes de fleurs sont déposées entre les pattes du cheval héroïque et dans un silence impressionnant s'élèvent les hymnes des deux nations. On échange les dernières poignées de mains, les voitures officielles repartent précédées par les sirènes de police, la fanfare monte dans l'autobus qui la reconduit à la caserne et les élèves regagnent le parking.

Le perspicace fonctionnaire qui a remis en mémoire du ministre cet événement historique quasiment oublié recevra des félicitations inscrites sur ses états de service et se verra sûrement proposé pour un poste de plus grande responsabilité.

Pendant ce temps, devant une maison d'un quartier populaire de Santiago, une famille répète pour la dixième fois la cérémonie de salut au drapeau argentin, avec une compétence digne d'un cœur polyphonique dans l'exécution de l'hymne, car tout doit être fin prêt pour la mi-journée, quand arrivera le frère aîné au retour de son voyage à Mendoza, avec des jeans Kansas pour tous et un long play de Gardel pour le grand-père.

Un rendez-vous manqué

Ortega remonta le réveil, régla la sonnerie afin qu'elle se déclenche exactement à quatre heures et demie du matin et, pour plus de sûreté, téléphona à un ami auquel il demanda de l'appeler à la même heure.

En dénouant les lacets de ses chaussures il pensa qu'il était stupide de se coucher et de se précipiter entre les blanches barrières d'une insomnie assurée. Il s'éloigna donc du lit, alla au lavabo et se rafraîchit le visage à l'eau froide. Puis il jeta sa veste sur ses épaules, sortit dans la rue et marcha jusqu'à la gare centrale.

En arrivant devant l'énorme édifice gris, il ne voulut pas entrer tout de suite. Il détestait particulièrement cette atmosphère d'ennui que dégagent les voyageurs qui attendent un train de banlieue en fumant et en bâillant. Il avait le temps. Il lui restait encore plus de quatre heures avant l'arrivée annoncée dans un télégramme d'un laconisme inhumain. Il entra dans un café.

« Arrive train cinq heures et quart – Stop – Attends-moi – Stop – Elena. »

Quand la serveuse lui apporta le verre de cognac, il sut qu'il était tranquille. Il constata que le malaise qui l'oppressait depuis des semaines avait disparu et qu'à sa place, l'absurde certitude d'être encore amoureux arrivait presque à l'irriter.

L'appel d'Elena l'avait surpris dans sa chambre d'homme seul, au moment où il s'apprêtait à faire un sort aux souvenirs qui dégoulinaient des pages d'un roman de Semprun.

La voix unique d'Elena l'avait tellement bouleversé qu'il en était resté muet, tenant le téléphone comme s'il s'agissait d'un reptile, et elle lui demanda plusieurs fois s'il avait un infarctus.

Avec un laconisme semblable à celui du télégramme elle lui dit qu'elle se trouvait de nouveau à Paris, qu'elle venait de Madrid où elle avait encore quelques amis, et qu'elle avait vieilli, beaucoup vieilli, insista-t-elle.

Quinze années laissent des traces perverses, cheveux blancs et rides, qui transforment notre âme en une géographie d'émotions mortes.

« Tango, répondit Elena. Paroles de tango. »

Ortega savoura la première gorgée de cognac et se dit qu'il était absurde de vieillir. Il se répéta qu'il était morbide de se regarder chaque matin dans le miroir pour constater qu'une part de nous-même est restée, à jamais perdue, en quelque lieu de la chambre où nous avons dormi. Maudissant une fois de plus l'écrivain embusqué sous sa peau, Ortega ne put s'empêcher de sourire en pensant à l'aspect de sa chambre vers les neuf heures du matin, quand la femme de ménage vide les cendriers, ouvre les fenêtres et secoue les draps. Tous ces poils, souvenirs, bouts de peau, rêves, pellicules et particules de soi-même qui tombent et servent d'engrais aux rosiers de la cour ! Un voyage avec Elena lui revint à l'esprit, un de leurs nombreux voyages en train de Madrid à Barcelone, de Barcelone à Valence. « Voyageur, il n'y a pas de chemin… »

Pendant ce voyage, maintenant impossible à situer dans le labyrinthe de la mémoire, Ortega lui avait exposé le résumé d'une histoire qu'il écrirait un jour. C'était très simple.

Un enfant naît dans un train, dans un wagon de seconde. Il est allaité avec du lait qui provient des gares où le train s'arrête. L'enfant grandit, il apprend les choses triviales, bien que nécessaires, qui le lient à la réalité, mais il ne quitte jamais le train. Il mène une existence tranquille, ne faisant rien d'autre que regarder par la fenêtre, jusqu'à ce que la petite bête de l'amour commence à creuser sa tanière entre sa peau et la chemise. Il découvre alors qu'il possède un don inconnu. Il peut s'éviter toute sorte de complication existentielle par le seul fait de descendre à la gare suivante et de prendre un train qui roule en sens inverse. Il peut répéter cette astuce salvatrice à volonté, dès que la moindre difficulté menace de bouleverser sa tranquille vie de voyageur.

« Ce qui en philosophie s'appelle montrer son cul à la seringue », avait répondu Elena.

Brisant le silence, la voix d'Elena formulait quelques questions au téléphone.

« Et toi ? On dirait que tu es installé pour toujours à Hambourg. J'imagine que je vais te trouver transformé en Allemand pur sucre. Tu portes toi aussi un de ces petits bonnets bleus de marin ? Tu as une douce Allemande à qui tu apprends méthodiquement à détester l'ordre ? Tu as reçu mes lettres ? Il t'est arrivé d'y répondre ?

Quinze ans. Paris. Cette ville idiote.

Ils s'étaient séparés quand la dernière barricade avait été démantelée par de maussades employés municipaux, et le dernier cri de révolte braillait son repentir dans le bureau d'un père de famille aisé.

Des anciens anars de la communauté, il ne restait qu'un vieux carnet d'adresses, la plupart rayées.

Elena.

Quand le sacro-saint ordre victorieux régna de nouveau dans les rues parisiennes et que les Français arborèrent avec plus de ferveur que jamais leur stupide arrogance, commença pour eux un chaos de voyages forcés, qui conduisirent Elena dans un chaleureux pays d'Amérique centrale, et lui dans la verte cité de Hambourg, où il l'attendait à présent en buvant un troisième cognac. Il tombait parfois sur de vieilles connaissances, des hommes qui au rappel de cette époque ébauchaient une aimable grimace, regardaient leur montre et s'excusaient de devoir assister à d'incontournables conférences.

Par certains d'entre eux il apprit qu'Elena voyageait dans des pays aux noms qui évoquent des saveurs de fruits, des aventures de pirates, des heures silencieuses au bord de mers transparentes, de désirables peaux aux tons de miel.

Il paya ses consommations et se mit à marcher. En entrant dans la gare il s'arrêta devant l'écran d'affichage des arrivées et chercha à quel quai arriverait l'express Paris-Varsovie. Il descendit les escaliers et attendit. Il avait encore cinq minutes à attendre.

Ortega s'assit sur une marche et réfléchit aux paroles qu'il lui faudrait prononcer. Des paroles qui serviraient de pont pour franchir un abîme de quinze années.

Il aurait beau vouloir l'éviter, ils parleraient nécessairement de cette époque, de leurs rêves, de ce « demandons l'impossible », et « demain est le premier jour du reste de ta... », etc. De ces mots d'ordre qui parfois, lorsqu'il rencontrait Dany « le rouge » devenu un impeccable éditeur de journaux et de revues illégales, lui remontaient dans la gorge en formant une mucosité épuisée, désireuse de recracher cette mauvaise gorgée d'histoire.

Une voix anonyme annonçant l'arrivée de l'express le tira de ses réflexions avant qu'il ait trouvé les paroles qu'il cherchait. Le train s'immobilisa et Ortega se leva, tendit la tête autant que le lui permettaient les muscles de son cou et regarda les visages somnolents des voyageurs qui descendaient et les expressions de nervosité de ceux qui montaient billet en main. Au milieu de cette cohue, il se sentit de plus en plus nerveux. Il n'avait jamais aimé les retrouvailles ni les séparations. Vivre en communauté avait été exactement cela pour eux, la possibilité d'une vie continue, illimitée. Il pressa le pas en regardant l'intérieur faiblement éclairé du train. Il courait en arrivant aux derniers wagons et le sifflement qui donnait le signal du départ le surprit en pleine course, esquivant comme un joueur de rugby les passagers en retard et les chariots de sacs postaux. Les trois minutes d'arrêt s'étaient évanouies trop rapidement pour quelqu'un qui avait attendu quinze ans. Il pensa à une erreur d'itinéraire, à une confusion du télégraphiste, et le train s'ébranlait déjà quand il vit le visage d'Elena se dessiner sur les vitres.

— Elena ! cria-t-il. Elena !

La femme se contenta de répondre par un sourire. Elle lui envoya un doux baiser du bout des doigts et lui montra l'écriteau du wagon portant le mot Varsovie.

Ortega ne bougea pas, regardant le train disparaître avalé dans la luminosité matinale qui filtrait déjà, et, pensant à l'aube, il fit comme s'il comprenait. Elena. Varsovie. Lutter contre le pouvoir. Putain ! Toujours la même histoire.

Petite biographie d'un grand de ce monde

Nos histoires d'aujourd'hui n'ont pas besoin d'avoir lieu maintenant.

Günter Grass

Dans ce train qui s'approche à travers les marais, dans ce train que nous ne pouvons pas encore voir, mais que nous devinons aux imprécations des voyageurs attaqués par des nuées de moustiques, dans ce train, comme toujours, arrivent la vie et la mort.

Vous le savez, même si vous le niez avec cet air têtu et absent, vous le savez parce que c'est vous qui l'avez fait construire ce chemin de fer qui nous a apporté la désolation et parce que son ventre d'acier nous a emmené faire connaissance avec le malheur sous d'autres latitudes.

Et si je vous parle, mon général, si je vous dis cela, c'est parce qu'on m'a chargé de vous distraire, à cette heure moite de la sieste, jusqu'à ce que le train arrive, s'arrête, et que les fonctionnaires du gouvernement descendent avec les papiers officiels qui nous diront si vous êtes un héros ou si vous êtes un salaud. Mais vous ne m'écoutez pas. Vous persistez à rester les yeux rivés sur la rue. Vous ne m'écoutez pas et je sais que vous regardez le bout de métal bleu qui indique le nom de cette rue.

« Rue du Roi Don Pedro ». Mais roi d'où ? se sont demandés un jour les conseillers municipaux de service. La patrie a toujours eu tant de héros en attente aux archives de l'oubli, qu'il aurait suffi d'en prendre un au hasard pour contenter chrétiens et Maures dans le choix d'un nom de rue, de cette rue, par exemple, qui commence aux bordels derrière la gare et qui finit aux murs blancs de la prison.

« C'était un roi espagnol, connards. On trouve son nom dans n'importe quelle édition de l'almanach Bristol. »

L'indication a suffi, mon général, pour que les professeurs d'histoire se bousculent tous les après-midi à la poste dans l'attente des livres du chancelier López de Ayala, du comte de la Roca, Juan Antonio de Vera y Figueroa, des livres qui révélèrent la terrible biographie d'un Espagnol malfaisant dont il ne fut pas possible de parler aux élèves, et on était bien emmerdés parce qu'on venait de donner son nom à une rue.

Avec tout le respect, mon général, je dois dire que vous me faites un peu peine avec votre air d'oiseau perdu.

Quand je vous ai ouvert la porte de la cellule pour que vous ayez un peu de lumière, vous m'avez regardé comme si vous cherchiez une réponse au pourquoi de ce cagibi immonde où on vous a mis. Je suis sûr que vous vous souvenez d'une autre pièce tout aussi obscure, puant le rat et la pisse d'animal nocturne, une autre pièce où on vous a enfermé le jour même de vos quinze ans alors que vous en aviez marre d'errer par monts et par vaux en mendiant un bout de manioc pour tromper la faim.

On vous avait fourré dans cette pièce sombre, mon général, parce que tout le monde vous reprochait d'avoir abandonné le cadavre de votre sainte mère aux urubus. Quand ils ont ouvert la porte, un grand type vous a présenté cérémonieusement neuf gamins qui vous regardaient méfiants, qui ne pouvaient pas croire à l'élasticité de vos muscles de sauvage et qui criaient « Regardez le singe ! Regardez le singe ! » chaque fois que vous grimpiez aux avocatiers de la cour pour cueillir les meilleurs fruits, les plus exposés au soleil. C'étaient « les autres », mon général. Ceux qui dormaient dans les pièces fraîches de la grande maison, ceux dont les fenêtres étaient bien protégées contre le bourdonnement des taons, ceux qui se reposaient derrière le blanc soupir de la moustiquaire de tulle qui les isolait de la plaie des *arenillas*, ces maudites mouches minuscules qui se mettent la nuit dans les poils de la tête et qui piquent jusqu'aux bonnes pensées. Vous, au contraire, vous deviez dormir dans le réduit humide qu'on vous avait aménagé près des étables, parce que vous, mon général, vous étiez un bâtard recueilli par monsieur votre père dans un sursaut de conscience, semblable à celui qu'il a eu quand après vous avoir flanqué une trempe à l'endroit même où il vous avait surpris perdu entre les nichons de la cuisinière, il vous a embrassé et, les yeux dans les yeux, vous a dit que ce qu'il faisait c'était pour votre bien. Que même ces coups administrés par son fouet de cavalier tout-puissant et orgueilleux, et qui vous laissaient les fesses pleines de bleus, c'était pour votre bien. Qu'il comprenait que vous ressentiez le besoin d'user de vos attributs virils, mais que ce n'était vraiment pas bien de commencer en vous farcissant les femmes de service que, lui, accueillait dans sa maison, et il vous a dit que le feu des premières années il fallait savoir le mesurer, parce que, moi par exemple, j'ai eu un moment de fièvre et j'ai monté celle qui est devenue ta sainte mère et je l'ai engrossée sans le vouloir. Tu dois apprendre que les femmes de la forêt, il suffit parfois de les regarder pour les engrosser et ce n'est pas bien de commencer dans la vie en éparpillant des enfants de par le monde avant même de savoir se moucher.

Et vous avez compris, mon général. Vous avez compris entre autres choses que dans cette vie il y a des abîmes qu'il vaut mieux ignorer. Vous avez compris que votre crinière de mulet n'aurait jamais la souplesse des cheveux de vos demi-frères, que votre peau foncée n'aurait jamais le joli mat des bains de soleil sur les pelouses de la maison. Vous avez compris que votre cuir était destiné à avoir la douceur d'une peau de tambour et la couleur que décideraient les pluies et la faim. Et vous avez surtout compris, dans les refus souriants des femmes de la maison, qu'elles disaient d'abord non, non, bon allez, mais alors en cachette, et c'était bon de sentir dans les mains et le sang les rênes d'un petit pouvoir qui irait grandissant avec les années et la sagesse de vos futures décisions. Vous avez compris que la vie appartient aux durs, mon général. À ceux qui baissent la tête tant qu'ils peuvent et qui cachent leurs mains afin que les autres ne voient pas le rosaire de haine qu'ils égrènent lentement entre leurs doigts.

Tout cela vous l'avez compris, mon général. Et dans ce cagibi puant le rat et la pisse d'animal nocturne, vous avez attendu patiemment que monsieur votre père finisse de dîner, et quand il est sorti pour son habituelle promenade digestive en compagnie des chiens, vous l'avez abordé et vous lui avez dit avec respect que vous vouliez être militaire.

Il me semble que vous aimez bien que je vous parle, mon général. Et je dois le faire puisqu'on m'a chargé de vous distraire pendant que nous attendons ce train qui traverse en ce moment les marais. Votre train, mon général. Ce train que la Company nous a offert après que vous vous soyez chargé de clouer le bec pour toujours à tous ces bandits, poètes et instituteurs qui traînaient par ici et nous cassaient les pieds à dire partout dans les villages que la banane c'était de la merde verte qui souillait la table des pauvres.

Les bûchers du souvenir fument encore, ceux sur lesquels vous avez ordonné de faire rôtir à petit feu les athées, les libéraux, ceux dont les discours perturbateurs s'opposaient au progrès de la patrie.

C'est donc comme ça que vous êtes devenu un soldat, et un bon. Tant et si bien qu'un matin vous avez fini par virer du palais à coups de pied au cul tous ces civils qui conspiraient contre les intérêts nationaux, et vous avez déclaré qu'il fallait mettre de l'ordre dans ce cloaque, que vous étiez forcé de revêtir les habits du pouvoir, mais que ce serait pour peu de temps. Et quels temps, mon général. Des temps joyeux où on promulguait de solennels arrêtés accompagnés de fanfaronnades civiques et autres convocations à des élections démocratiques, tandis que les mains secrètes du pouvoir déposaient en catimini des objets du patrimoine historique sous le lit des opposants. Lesquels étaient peu après défenestrés par la populace, par la racaille dûment stimulée dans les cantines qui vous appartenaient. Pauvres types, ces opposants. Ils étaient traînés, piétinés jusqu'à épuisement, et tant qu'il leur restait une bouche, ils juraient ne rien savoir de ces huiles de l'Immaculée Conception retrouvées sous le tapis de leur salle à manger lors d'une perquisition exigée par la sainte colère du peuple révolté par le pillage impie des autels de la patrie, parce qu'on peut tout voler, bordel, tout sauf l'honneur national, qui ne contient dans aucun sac comme disaient les implacables procureurs de la cour martiale avant de demander la peine maximale et la confiscation des biens pour les accusés publiquement déshonorés. Peine qui ne manquait jamais d'être une de vos farces macabres, mon général, parce que ce que laissaient les chiens avait déjà été becqueté par les charognards de la mangrove, et des condamnés il ne restait plus que le nom.

Vous avez renforcé votre pouvoir et nous, ça nous était égal. Ce train qui traverse en ce moment les marais vous conduisait à la tête de votre impeccable armée jusqu'au fin fond de forêts qui n'existent même pas dans l'imagination des cartographes. Le train passait rempli de péons et de métal qui étendaient le règne du progrès et revenait chargé de bananes vertes et d'hommes qui, n'arrêtaient pas de danser le san-benito, sans musique, fous de fièvre et de malaria.

« Jusqu'où irez-vous cette fois, mon général ? », vous criait la populace rassemblée à la gare. Et vous nous répondiez : « Jusqu'à la fabuleuse cité perdue des Césars, aux chaussées pavés d'or et au ciel croulant d'émeraudes mûres qui tombent quand soufflent les bons vents des changements astrologiques. Je reviendrai vêtu de l'armure de Ponce de León. Vous verrez, connards ! »

Comme vous nous parliez mon général, fallait voir ça ! De votre wagon personnel, entouré des misters de la Company, vous nous parliez de richesses et nous on en rêvait. Vous nous disiez que quand le train arriverait à l'autre bout de la forêt, nous devrions nous relayer pour manger du poisson des deux océans chaque vendredi saint. Vous nous disiez que nous aurions des pains tellement énormes qu'il fallait d'ores et déjà promulguer un décret présidentiel afin de limiter leur taille et qu'ils puissent entrer par la porte des maisons. Vous nous disiez que nous aurions tant d'argent que les numéros perdants à la loterie seraient gagnants pour les enfants abandonnés. Et nous on vous applaudissait, mon général, jusqu'à ce que votre train disparaisse avalé par la forêt.

Vous vous rappelez ce jour où votre train est revenu dans des grincements assourdissants, et sans les misters de la Company ? Votre train qui nous a rempli les rues de soldats qui nous ont rassemblés comme du bétail sur la place d'armes pour que vous nous disiez qu'on était en guerre, que la fête était fini et que commençait un temps de merde.

En un clin d'œil vous nous avez changé le son des guitares pour un chœur de cris plaintifs qui vous imploraient, avec des bouches noircis de haine et de poudre : « Laissez-moi mourir, putain, mon général, regardez, un obus m'a emporté les deux jambes, la libérale et la conservatrice, et maintenant je ne peux plus aller nulle part. Vous voyez bien que je suis foutu, mon général, collez-moi une balle ici, entre ces yeux qui se sont éteints bien avant de connaître votre portrait sur les billets de cent pesos, faites-moi cet honneur, mon général. » Et vous répondiez : « Ne joue pas au blessé, connard, celui qui a des mains peut encore s'astiquer le jonc. »

Alors vous nous avez tous habillés en soldats, mon général. Votre train a été équipé d'un wagon de chirurgiens qui, scie en main, réparaient les moribonds et sauvaient, au nom de la patrie, les membres qui leur semblaient utilisables. Le train nous emmenait entiers jusqu'au champ de bataille, mais nous n'étions pas sûrs de revenir complets.

Le train cessa d'être joyeux pour nous. Les femmes cessèrent de vous attendre pour que vous soyez le parrain de leur septième enfant, comme au bon vieux temps, quand vous preniez les petits dans vos bras sans vous soucier de savoir s'ils avaient été légitimement conçus entre des draps blancs ou s'ils étaient le fruit des débordements du carnaval.

Vous vous rappelez ce matin où le train n'a pas bougé et où vous êtes resté enfermé, giflant les ingénieurs qui vous avaient fourni de fausses cartes ? C'est ce jour là que nous nous sommes réveillés assiégés.

Il ne nous restait plus qu'à invoquer la chance pour nous tirer de ce mauvais pas. Fallait voir comme on s'y est pris ! On a rasé à grand feu les forêts et les plantations. On a rasé les blés verts et les bananeraies de miel, les bois d'eucalyptus pour les phtisiques et les pâturages des vaches du pouvoir. On a tout rasé. Des deux océans on pouvait voir les flammes et la fumée a noirci les putains de faces d'anges de ce putain de ciel qui nous avait abandonné. On a tout rasé au feu sacré du patriotisme et semé tous les champs de trèfle à quatre feuilles. On a attrapé tous les lapins et on leur a coupé les quatre pattes pour ne laisser que des millions de petites boules de poils sanglantes qui couraient sur leurs oreilles, pour que vos troupes, mon général, aient non pas une, mais quatre pattes porte-bonheur accrochées autour du cou. On a distribué les scapulaires officiels du pouvoir, qui portaient des images de tous les saints de l'almanach Bristol. Des scapulaires énormes que les plus hérétiques utilisaient comme couvertures, pour se protéger quand les fièvres tropicales se fourraient dans leurs entrailles. Pendant ce temps, vous, mon général, assis dans votre fauteuil de commandement, vous avez promulgué le décret présidentiel en temps de guerre déclarant citoyens porte-bonheur tous les bossus qui se trouvaient sur le territoire national, avec une pension à vie proportionnelle à la taille de la bosse, et vous avez simultanément ordonné l'expulsion immédiate du pays de tout étranger qui n'était pas bossu. En peu de temps nous avons été envahis par une immigration galopante de bossus venant de toutes les latitudes du sextant, invasion qui augmenta avec l'arrivée de milliers d'estropiés quand vous avez décidé, mon général, par un décret présidentiel en temps de guerre, qu'étaient également citoyens porte-bonheur les manchots qui avaient levé la main sur leur père adoré, les boiteux qui avaient emprunté le sentier du mal, les aveugles qui chantaient *vida mía no me abandones* sur de vieux accordéons et qui avaient regardé les Saintes Écritures au-delà de ce qui est permis, les sourds à force d'écouter les mensonges des Gitans, les siamois collés par le dos, enfants issus de cousins qui vivent dans des maisons voisines, les prématurés de sept mois, enfants de pères inconnus qui ont aimé trop vite, et les femmes tristes avec des nuées galactiques dans les yeux à force de soupirer en regardant le ciel pendant les fêtes religieuses.

Et ils sont venus, mon général. Les estropiés sont venus par milliers. Il en est tant venu que la république assiégée s'est transformée en un gigantesque dispensaire d'horreur et de porte-bonheur. Un royaume d'horreurs et de mutilations. Un lieu où être entier constituait un flagrant délit de trahison de la patrie. Un coin du monde où les rythmes se dansaient tellement à contretemps que les musiciens se pendaient avec les cordes des violons.

Et la chance nous a répondu, mon général. Alors que nous étions désespérés devant les erreurs inqualifiables que commettait Yamilet, la fillette miraculeuse de Talagante del Sur, qui fit qu'un aveugle ne recouvre pas la vue, mais acquière en revanche une vitesse prodigieuse avec ses jambes et meure à la suite du coup qu'il se donna contre un rocher qu'il ne put voir, et fit aussi qu'un boiteux ne marche pas droit, mais qu'il puisse voir ce qui se passait au-delà de l'horizon et meure écrabouillé par votre train militaire tandis qu'il contemplait heureux un trapéziste traversant les chutes du Niagara sur une corde et les yeux bandés. C'est pendant ces moments de malaise que vous êtes apparu, mon général, de nouveau accompagné par les misters de la Company, et vous nous avez dit qu'il fallait travailler, bordel, que la fête ça suffisait, qu'on était trop fainéants, qu'on devait retourner aux bananeraies et dénoncer immédiatement les provocateurs qui traînaient dans le coin en racontant que nous avions été en guerre.

Et c'est comme ça, mon général, que tous ces épisodes d'hécatombe ont été arrachés des mémoires par la grâce et le travail des historiens officiels, notaires en redingote qui faisaient disparaître les registres paroissiaux, si bien que, femme, de quel putain de mort tu me parles ? S'il n'est jamais né, il y a peu de chances qu'il soit mort, femme, ce sont des rumeurs qu'inventent les traîtres à la patrie, bordel, tout ce qu'on peut raconter. Et vous, mon général, ça vous était égal les ravins remplis de cadavres qui attendaient le train de l'enfer, et les malédictions des veuves qui juraient avoir enterré leur homme avec une paire de jambes empruntées, qu'elles auraient bien aimé avoir pour danser le sanjuanito, mais qui tapaient du pied de manière effrayante les nuits sans lune, ou avec un œil bleu de marin qui lui allait bien, mais qui n'arrêtait pas de papilloter dans la mémoire.

Et le temps passa, mon général. On vous voyait parfois traverser les bananeraies dans votre wagon d'état-major. Plus tard, on nous a dit que vous étiez dans le nord en train d'organiser des groupes armés parce que des bandits de civils vous avaient viré du palais à coups de pied. Puis il y en a qui sont arrivés avec votre portrait où vous avez l'écharpe de président en travers de la poitrine, et la semaine suivante, les gendarmes ont arraché votre portrait dans tous les bureaux, regrettant que le papier soit si épais qu'il ne pouvait même pas servir à se torcher le cul, et pour finir, voilà qu'hier vous arrivez, mon général, dépouillé de votre resplendissante autorité d'autrefois, puant la pisse et la sueur de mule.

À l'heure qu'il est, mon général, votre train doit avoir traversé les marais. On voit déjà les gens qui se réveillent de la sieste. Moi je ne dors pas, mon général. Je suis vieux, comme vous, et je garde mon sommeil pour la longue nuit de la mort. C'est pour ça qu'on m'a chargé de vous surveiller et de vous distraire. On m'a dit aussi de faire attention, vraiment très attention. Et je suis là, à vous parler pendant que vous faites celui qui n'écoute pas et qui regarde la plaque bleue avec le nom de la rue. Je peux continuer à parler. Ma mission, c'est de vous distraire jusqu'à l'arrivée du train, mais vous, mon général, restez bien tranquille, vous voyez que ma pétoire est prête, et si vous faites le malin, avec tout le respect, mon général, je vous zigouille.

Il reste peu de temps. Vous verrez que dans quelques minutes le train s'arrêtera, il en descendra les fonctionnaires avec les papiers officiels qui nous diront si vous continuez à être un héros ou si, au contraire, vous êtes récemment devenu un salaud.

Actes de Tola

Acte premier

— Très bien. Ce sont eux qui l'ont cherché. Dans ce pays, messieurs, le temps des révoltés est terminé. Ordre et discipline seront désormais les seuls slogans autorisés. Ces petits coqs puérils, combien sont-ils ? Une douzaine ? Je vais les expédier dans un endroit tellement désert et ennuyeux qu'en quelques semaines ils vont supplier qu'on les laisse revenir à la grande ville. Capitaine Espinoza, cherchez-moi sur la carte l'endroit le plus pourri et montrez-le-moi.

Le capitaine claqua les talons, déroula une grande carte sur la table des opérations et, obéissant aux ordres de l'Investi, il indiqua un point jaune situé entre deux lignes brisées de couleur marron.

— Ici, mon général. Tola. En suivant à partir d'Antofagasta la ligne droite du tropique du capricorne, la plus courte distance entre deux points…

— Le tropique du Capricorne ?

— Non, mon général. La ligne droite.

— Cessez de tourner autour du pot, Espinoza ! Poursuivez !

— À vos ordres, mon général ! Comme je vous le disais, en suivant, depuis Antofagasta, la ligne droite du tropique du Capricorne sur trois cents kilomètres vers l'est jusqu'à la cordillère de sel…

— Cette ligne, elle est praticable ?… Elle s'appelle comment ? Capri quoi ?

— C'est une ligne théorique, mon général.

— Ne me cassez pas les pieds avec des conneries théoriques, Espinoza. Poursuivez !

— À vos ordres, mon général ! Une fois traversée la cordillère de sel, on arrive à la célèbre saline d'Atacama. Un enfer sec, mon général. Les crachats se momifient avant de toucher le sol. En plein milieu de la saline d'Atacama se trouve Tola.

— Ça me plaît, Espinoza ! Ça me plaît. Est-ce que ces petits coqs ont une chance de se tirer de là ?

— Négatif, mon général. Il n'y a pas de routes. Et si un jour il y en a eu, elles ont disparu, avalées par les sables. C'est un village mort, abandonné depuis plus de cinquante ans à la fermeture de la dernière compagnie salpêtrière qui travaillait dans la zone. Ils ne peuvent pas sortir de ce trou. Le premier endroit habité, San Pedro de Atacama, est à cinquante kilomètres au nord, et nous y avons deux compagnies de sapeurs qui contrôlent la région. Un peu plus au nord, c'est la Pampa del Tamarugal, aussi aride et inhospitalière que la saline. À l'est, ils ont la cordillère des Andes dans sa partie la plus inaccessible, à l'ouest la cordillère de sel dont j'ai déjà parlé, et au sud la saline de Punta Negra, c'est-à-dire désert et solitude de tous côtés…

— Bien vu l'endroit, Espinoza. Ces coqs agités vont y partir en vacances. Comme ça ils apprendront une fois pour toutes qui commande ici. Vraiment sûr qu'il n'y pas moyen de partir ?

— Positif, mon général. Tout ce qui existe, ce sont les rails rouillés du chemin de fer anglais qui reliait autrefois les salpêtrières. S'ils veulent partir par la voie ferrée, ils peuvent attendre le train jusqu'à ce qu'ils crèvent.

— Ça me plaît Espinoza. Vous avez dit qu'il s'appelait comment ce bled ?

— Tola, mon général. Il s'appelle Tola.

Acte deux

On nous envoie au nord, compadre. J'ai entendu un bidasse qui le disait quand ils nous ont amenés aux chiottes. Tu es déjà allé dans le nord ? Dur le climat là-bas, compadre. Le jour, le *caregallo* souffle si fort qu'il te fait éclater la peau du visage, les gens ont tous l'air d'avoir la cirrhose. La nuit, c'est un froid qui te transperce jusqu'à l'os, et le matin, toujours la *camanchaca*, une rosée glacée que seuls les gens de la pampa supportent. Écoutez. On dirait qu'on s'en va. Vous vous êtes rendu compte qu'on était douze. À propos, on ne s'est pas présentés. Topez-là, Juan Riquelme, à votre service, chaque fois que je pourrai. Comment ? Pedro Arancibia vous vous appelez ? Compadre, on a tous les deux des noms de saints. Et dans quoi vous bossez, don Pedro ? Professeur ? Ça c'est intéressant. Et moi ? Moi, je suis gris. Comment ? Vous ne comprenez pas ? Gris, compadre. Je suis cheminot. Gris, quoi. On nous appelle comme ça depuis le temps des locomotives à charbon. Dans ma famille on est presque tous gris. Mon vieux, par exemple, il a bossé toute sa vie comme garde-voie dans une gare du sud, et moi je suis mécanicien sur le Pancho. Vous ne comprenez pas ? Le Pancho, l'express Santiago-Valparaiso. Bon, il vaut mieux dire que je travaillais, parce que quand je sortirai de tout ça, je ne crois pas qu'ils me reprendront. Sûr qu'ils me mettront sur la liste noire, même après avoir trimé vingt ans dans les chemins de fer. Allez, haut les cœurs, compadre ! La mouise ne dure jamais cent ans et il n'y a pas un chien qui n'y résiste. On va au nord, don Peyuco, et ça doit aussi avoir du bon. Comme dit l'oculiste, la vie dépend des verres avec lesquels on la regarde. Vous vous rendez compte ? On peut pas encore dire qu'on est frits, comme dit le poisson qu'on jette dans la poêle. On s'en va avec le *Pampino*, le train. Et préparez-vous, compadre, parce que le voyage va être long.

Acte trois

Ce voyage est différent et, c'est un peu absurde, mais j'aimerais le sauver. Oui, le sauver. Changer le sens de ce train en marche, tout inverser. Les sièges durs du wagon de seconde, les regards mi-hostiles mi-fatigués des soldats qui nous surveillent, les sigles FF. CC. de l'État, le roulis, qui autrefois m'endormait doucement et qui provoque maintenant l'insomnie. Si Neruda… mais il est mort. Si Neruda était là, sur le siège en face, les yeux dans les yeux je lui demanderais avec la candeur d'un gosse : « Don Pablo, qu'est-ce qui va arriver quand le train s'arrêtera ? » Et il me répondrait : « Lorsque le long train se repose les amis se rassemblent… » C'est ce qui doit se passer dans tous les trains du monde, sauf celui-ci.

Chacatac, chacatac, chacatac. Il roule. Le serpent d'acier avance. On aperçoit déjà la sécheresse de Til Til, alors qu'en réalité ce devrait être les melonnières du Maipo caressant de leur verdure les fenêtres.

Chacatac, chacatac, chacatac. « Lorsque le long train se repose, les amis se rassemblent et entrent, s'ouvrent les portes de mon enfance… » Nous sommes douze, comme une équipe de football. Pourquoi pas ? Le Unidos Venceremos, F.C. du quartier Independencia qui se rend au champ d'honneur pour se mesurer au Buenos Muchachos, F.C. de Paine. Selon la tradition sportive, nous perdrons. Les visiteurs doivent laisser aux locaux le plaisir de la victoire, mais marquer quand même un but pour l'honneur avant la fin de la rencontre. Alors les maîtres de maison auront l'euphorie généreuse, et le fumet de vachette grillée sur du bois de peumo nous suivra pendant le voyage de retour dans le dernier train, le train des ivrognes, le train local approvisionné en poulets froids bien assaisonnés et en bouteilles de vin qui seront remplacées à chaque gare.

Chacatac, chacatac, chacatac. Nous sommes douze qui pourraient être une joyeuse bande d'amis se rendant à un mariage. Où ? Qui se marie ? À Rancagua ! Bien sûr. Dans la première grande gare du sud on marie le Ramon et la Olga, qu'est-ce que vous en dites ? Du vin à flots et du riz pour lancer aux fiancés ! Les vieilles pleureront en remplissant les verres et le fiancé pensera aux jambes de son aimée pendant que nous dégusterons d'érotissimes cuisses de dinde nageant dans la sauce, mais… chacatac, chacatac, chacatac. Ce qui se dessine dehors, ce ne sont pas les vignobles de Rancagua. Ce n'est pas la cordillère. Ce ne sont pas les petits trains qui grimpent jusqu'aux mines de cuivre et redescendent le ventre chargé de l'éternel scintillement des fonderies. Nous traversons la vieille terre de La Ligua, épicentre de catastrophes, bouc émissaire de la haine que la terre nous témoigne parfois par ses tremblements.

Chacatac, chacatac, chacatac. « Lorsque le long train se repose les amis se rassemblent et entrent, s'ouvrent les portes de mon enfance, la table vibre… » Dans la lumière violente de l'après-midi Illapel prépare nos yeux à affronter l'inévitable désert qui commencera dans quelques heures. Chacatac, chacatac, chacatac. Pourquoi l'histoire de ces jours-là n'a-t-elle pas l'amoureuse logique du sablier ? Il suffirait alors de le retourner et nous nous retrouverions à l'entrée de Talca, au milieu de chemins forestiers et de tourterelles fatiguées qui attendent l'arrivée du chasseur. Nous sommes douze. Pourquoi pas comme les Douze de la Renommée ? Lointains Espagnols qui ont perdu à jamais la porte de sortie. Nous sommes douze qui pourraient prendre place, en bon ordre, devant la boîte du photographe de la place d'armes, carrée et espagnole. Nous regarderions le petit oiseau, puis nous serions douze Noirs aux cheveux blancs, tête en bas, attendant que le mage de l'image émerge de son petit temple en drap et nous remette la carte postale portant la légende « Talca, Paris et Londres », orgueilleux blason de latifundistes ruinés qui continuent à se donner rendez-vous à cinq heures de l'après-midi, discrètement, pour boire des *« onzes »* parce onze sont les lettres qui forment le nom de l'eau-de-vie qu'ils dégustent dans des verres grands comme le petit doigt, pendant que le bar de la gare s'emplit d'éclats de rire et d'expressions d'étonnement provoquées par l'impeccable rime des « pouètes », rimailleurs du train rapide pour Puerto Montt qui déclament des vers, de bons vers, et offrent au voyageur, avec des noisettes et des galettes, la fleur récemment imprimée de « La Lyre Populaire », mais … chacatac… chacatac… chacatac. Le train ne s'arrête pas. Il ne le fera pas avant que nous ayons aperçu Ovalle et, dans la solitude et le silence, la tombe tranquille de la Mistral, notre Gabriela.

Chacatac, chacatac, chacatac. Quelqu'un d'autre est monté ? Ce wagon a été entièrement réservé pour nous, les douze pestiférés, ceux qui ont contracté le choléra, la peste jaune, rouge ou noire. Les douze en route vers leur quarantaine de silence. À La Serena on frôle la mer, le Pacifique qui rouille la statue de Francisco de Aguirre et nous frappe au visage en nous prévenant qu'à partir d'ici, tout sera lumineux et minéral.

Chacatac, chacatac, chacatac. « Lorsque le long train se reposent les amis se rassemblent et entrent, s'ouvrent les portes de mon enfance, la table vibre sous le choc d'une main de cheminot, tintent les gros verres du frère et scintillent et rutilent les yeux du vin… » Chacatac, chacatac, chacatac. Passent des noms sur de vieilles plaques noircies. Chacatac… chacatac… Vallemar… chacatac… Punta de Diaz… chacatac… Chacarita… chacatac… Castilla… chacatac… Copiapo apparaîtra bientôt comme un fantôme dans la bruine et le sifflement du train fera tressaillir les spectres des chercheurs d'or, de toutes les fortunes raflées par le gourdin du roi de trèfle… Chañaral… chacatac… Antofagasta, enfin, endormi dans les ombres de Huanchaca qui sentent encore l'argent et le sang comme une basilique romaine… Chacatac… Chacatac… Nous commençons à grimper parmi les regards hallucinés des lamas et des vigognes. Sierra. Tout n'est plus que sierra. Sierra de León. Sierra. Sierra del Carmen. Sierra. Sierra Septiembre. Sierra. Sierra Amarilla. Sierra. Sierra del Buitre. Sierra. Sierra sans nom. Non. Ces quatre bouts de bois ont été baptisés. Tola.

Acte quatre

— Messieurs. Par décision du Gouvernement suprême et conformément à la loi martiale, vous demeurerez en ce lieu jusqu'à nouvel ordre. Vous serez ravitaillés tous les quinze jours. Vous trouverez tout près d'ici un puits à l'eau parfaitement potable. Vous ne devez pas vous sentir abandonnés. Une fois par mois vous recevrez la visite d'un infirmier de l'armée au cas où vous auriez des problèmes de santé, ce dont je doute puisque la seule chose que vous puissiez faire ici c'est de l'exercice, beaucoup d'exercice. Comme l'a dit notre capitaine général : un esprit sain dans un corps sain. Messieurs, je vous souhaite un agréable séjour dans ce petit coin tranquille de la patrie et je vous engage à méditer sur vos erreurs afin de ne pas les répéter. C'est tout, messieurs. Rompez les rangs.

Acte cinq

— Moya, tu dors ? Moyita ? Putain qu'il fait froid, Moyita. Je n'arrive pas à dormir à cause de ces pauvres types qu'on a laissés à Tola. Ils peuvent mourir, Moyita. Je sais ce que je te dis. Je suis de la pampa, Moyita. Nous les *mamani* on est d'un peu plus au nord. Je sais ce que je dis. Putain qu'il fait froid. Je les ai bien regardés pendant tout le voyage, ils ne m'ont pas semblé être de mauvais bougres. Tu as vu comme ils nous ont offert leurs clopes ? Et leur bouffe ? Putain, ce qu'il peut être vache le lieutenant Garcia. Lui aussi il connaît bien la zone et il sait qu'on ne peut pas boire une goutte de ce puits sans attraper la chiasse. C'est de l'eau sulfatée, Moyita, il faut la faire bouillir des heures avant de pouvoir la boire. C'est vraiment un fils de pute. Ces types vont crever là-bas, Moyita. Ce sont des civils, ils sont incapables de survivre comme nous. Comment tu dis ? Ils n'avaient qu'à pas faire les mariolles ? Tu as raison, Moyita. Mais je crois que ça suffisait de les mettre au trou. Pourquoi on les fait autant chier les civils, hein ? Ouais, je te laisse pioncer. Je ne t'emmerde plus, mais putain qu'il fait froid, Moyita. Et le froid, ça me fait penser à ces types.

Acte six

— Bonne idée de faire bouillir l'eau, don Peyuco. Pas mal le patelin, non ? Il y a encore des maisons habitables, mais je crois qu'il vaut mieux qu'on reste ensemble à la gare. Vous savez, je pense que les militaires ils ont voulu nous faire crever de deux façons : par l'eau et par le froid. Mais le fusil leur a pété à la figure, parce que du bois, on en a pour des années et avec votre idée de faire bouillir l'eau, on va être plus sains qu'un yaourt. Mais je voulais vous parler d'autre chose, don Peyuco. Avec ce que je vais vous dire, vous allez penser que suis dingue, mais attendez un peu, compadre. Je suis plus sérieux qu'une photo d'identité, et fous, on l'est tous un peu. Vous ne comprenez pas ? Allons droit au but, comme on dit au foot. Vous avez vu que depuis que nous sommes arrivés j'ai parcouru les voies. Eh bien, dans les deux sens il y a plusieurs kilomètres de rails dans un état impeccable, il suffit d'enlever le sable, c'est tout. Vous savez quoi ? J'y ai pensé et repensé et tout à coup je me suis dit : si ça se trouve, les gars ils aimeraient bien faire une petite balade touristique... Vous pensez que je suis cinglé, hein ? Que mon idée c'est de les aligner en file indienne entre les rails et puis de les faire courir en criant chuchu chuchu. Non, don Peyuco. Vous n'y êtes pas du tout. Venez avec moi. Je veux vous montrer un trésor.

Acte sept

J'ignore si tu liras cette lettre que je donnerai aux soldats qui nous apportent des provisions. Je ne cesse de penser au voyage. Ce fut si long. Imagine douze hommes plus les vingt soldats qui nous surveillaient, dans ce lent, terriblement lent train du nord, le *Pampino*. Tu vois j'aurai au moins appris le nom d'un train. Je ne connaissais du nord que ce que j'avais lu dans les chroniques douloureuses du temps de Recabarren et Laferte, ou de la guerre du Pacifique. C'est très différent de tout ce qu'on peut imaginer en lisant bien à l'abri chez soi, ou protégé de la chaleur par les murs de la Bibliothèque nationale. Je vais bien. Nous allons bien, très bien, et c'est de cela que je veux te parler. Il y a parmi nous un homme très spécial, Juan Riquelme, un cheminot qui dès le début s'est imposé comme « l'âme de l'équipe », selon ses propres mots. C'est la version créole du *picaro* espagnol. Pedro Urdemales en exil. Il nous a raconté l'histoire de chaque petite bourgade que nous avons traversée et nous a expliqué, avec l'air d'un Einstein dissertant sur la relativité, la raison de la lenteur désespérante de ce train du nord. Pendant les premiers jours son comportement nous a beaucoup intrigué ; pour être franc, on pensait qu'il avait une case en moins. Il se levait très tôt et, muni d'une espèce d'écouvillon fabriquée de ses mains, il s'éloignait en balayant le sable qui couvrait le rail droit de l'ancienne voie du chemin de fer anglais qui fonctionnait autrefois dans les salpêtrières. On le voyait avancer lentement jusqu'à ce que sa silhouette ne soit plus qu'un vague point à l'horizon. Il réapparaissait le soir avec la même parcimonieuse lenteur, mais cette fois en balayant le rail gauche. Il s'est livré à cette tâche pendant plusieurs jours sans dire un mot et, au bout de la deuxième semaine, il nous a convoqués dans un hangar éloigné et, tu ne vas pas me croire, il y avait là deux locomotives d'un autre âge, de celles qu'on voit dans les westerns. À charbon ou à bois. Deux locomotives à vapeur, comme nous l'a patiemment expliqué Juan Riquelme. Tu vas penser que je suis devenu fou, que nous sommes tous devenus fous, que le soleil du désert nous a desséché le coco, mais le fait est que nous nous sommes tous mis en tête de faire marcher une de ces machines. À part Riquelme, le seul d'entre nous qui s'y connaisse en mécanique, en métaux et tous ces trucs, il y a Arancibia, un professeur d'une école industrielle, et ils sont maintenant comme les doigts de la main. Tous les deux affirment qu'il est possible de remettre en marche un des mastodontes. Ne va pas imaginer qu'il s'agisse là d'un plan d'évasion. Non. Aucun de nous n'est assez idiot pour envisager une chose semblable. Il s'agit simplement de, comment dire ? d'un jeu fascinant contre l'adversité, un jeu dans lequel ce qui est véritablement important c'est de gagner la possibilité de continuer à rêver…

Acte huit

— Eh… maestro Riquelme… approchez-vous un peu… là, pas plus ! Et mettez-vous à pisser aussi, pour donner le change, parce que le lieutenant, il a des yeux dans la nuque. J'ai envoyé votre lettre à la famille et ils ont répondu. Le lieutenant n'a pas voulu vous apporter le courrier, il dit qu'il faut vous garder au secret. Il fait ça par pure vacherie. J'ai lu la lettre de votre dame, elle dit qu'ils vont tous bien et que la petite a eu trois dents de lait. Il y a aussi des lettres pour le professeur et pour deux de vos collègues, mais là je n'ai pas pu les lire parce que je suis encore à moitié analphabète et je lis très lentement. De rien. Écoutez, maestro, dans la chapelle en ruine vous trouverez les limes et la scie que vous m'avez demandées. C'est tout ce que j'ai pu apporter parce que le lieutenant était très méfiant. Ne vous mettez pas dans des emmerdements, compadre, parce que ce connard, vous savez, il est capable de tous vous fusiller. Je vous préviens, c'est tout, compadre. C'est un sale type le petit lieutenant…

Acte neuf

— Patience, les gars. Vous savez ce qu'il faut à un éléphant pour se faire une petite fourmi ? De la patience. Cette machine n'est pas un simple bout de ferraille. C'est une fille sensible. Allez ma fifille, dis aux gars comment tu t'appelles. Comment ? Elle dit que son nom est écrit sur la chaudière. Ventru *you sey* ? Elle dit qu'elle ne parle pas espagnol la biquette. Écoutez ça, les amis. Elle s'appelle *Queen Victory* et c'est un modèle que les Anglais ont dédié à la reine Victoria quand elle n'était encore que princesse. Ce sont ces locomotives-là que les gringos ont envoyées aux Indes. Eh, collègue Arancibia, vous m'avez desserré ce boulon que je vous ai indiqué ? Voyons ça. Excellent ! On voit bien que vous avez des doigts pour le piano, compadre. Vous auriez de l'avenir dans les chemins de fer. Et vous autres ? Comment ça marche avec la scie ? Patience, les gars. Pour commencer il nous faut des petits bouts de bois. Comment vous expliquer ? Écoutez, cette petite veut qu'on la traite comme une jeune fille de bonne famille. Elle aimerait que vous la chauffiez tout doucement. Qu'est-ce qui vous fait rire ? Vous alors, vous êtes des gros malins. Et si je vous dis que quand cette fille est chaude elle aime qu'on lui enfourne les grosses bûches, je suis sûr que vous allez penser à des cochonneries. Où est-ce qu'on va aller, les gars, avec ce genre de pensées ? Ce qu'il faudrait faire maintenant, c'est déplacer la sortie de la vapeur. Si on avait un moufle... Qu'est-ce vous regardez ? Vous ne savez pas ce qu'est un moufle ? Le langage technique, c'est du chinois pour vous. Un moufle, collègues, c'est une *huarifaifa*... Bon, il vaut mieux continuer à parler chinois. Collègue Arancibia, comment vous décririez un moufle pour ces apprentis ? Laissez-moi essayer. Un moufle, comme son nom l'indique, est un ensemble de chaînes et de poulies qui permettent de hisser un objet lourd. Ah ! des applaudissements. On est comme ça nous les gris. Mais il faut travailler et il va falloir le faire à l'huile de coude. Compadre, passez-moi ce bâton. On va s'en servir comme levier. Donnez-moi un point d'appui et je soulèverai le monde, a dit le Grec, et heureusement qu'on ne le lui a pas donné, sinon ça aurait fini par un fameux tremblement de terre.

Acte dix

« Lorsque le long train se repose les amis se rassemblent... »

Ce train, don Pablo, s'est arrêté depuis trop longtemps, et pourtant la prophétie du poème s'accomplit. Nous sommes là, tous les amis, les Douze de la Renommée, les Douze Apôtres qui tentent de ressusciter un dragon britannique couvert de rouille. Comme tout homme nous voulons créer un petit, minuscule, mais élémentaire miracle, et là-haut, juché sur la machine, il y a Juan Riquelme, le gris, un de ces nombreux et modestes Juan, illustres inconnus capables de laver leurs mains graisseuses avec un morceau d'étoupe ou d'histoire, d'allumer un mégot et, sans accorder beaucoup d'importance au travail accompli, de dire au miracle, comme à Lazare : lève-toi et marche.

Il se peut, don Pablo, qu'avec ces vieux outils nous soyons en train d'écrire un nouveau vers qui tirera un bref instant le « long train » de sa légitime léthargie.

Et il faut que ça marche. Si nous arrivons à le déplacer d'un seul centimètre, ce sera la victoire, le triomphe de la joie sur le crachat de la haine. Et dans cette mer de sable, de soleil, de vent et de bruine, ces Douze Argonautes se préparent, parce que vous l'avez dit, don Pablo, « le cheminot est un marin à terre et dans les petits havres sans marine ».

Le bibliothécaire

Je suis Itzahuaxatin, gardien des souvenirs et des questions, des raisons et des doutes.

J'ai travaillé sans relâche, ignorant l'appel de la fatigue, la rumeur des os, le chant des oiseaux enfermés par mon maître Tecayehuatzin dans des cages d'or et de fines pierreries pour régler le commencement et la fin des journées.

J'ai oublié la lumière et les ombres. J'ai transgressé le mandat des dieux du rêve, les dieux mineurs, en emportant les souvenirs, les questions et les réponses qui, une fois entendus, se multiplient dans le cœur des hommes et dans le labeur de ceux qui les estampent en couleurs sur des peaux et de la toile de jute.

J'ai voyagé sans trêve. J'ai déchiré mes vêtements et ainsi je vais, à peine couvert de la peau de léopard qu'autorise mon rang de conservateur de la mémoire du royaume de Huexotingo, dans la claire vallée de Tlaxcala. En vain j'attends la voix qui m'arrêtera. Ce doit être vrai que les dieux nous ont abandonnés. Moctezuma fut le premier, c'est pour cela qu'il a été lapidé comme une femme avilie.

Il y a peu, de retour de voyage, j'ai ouvert les cages pour que les oiseaux connaissent le bonheur du vol, mais tous étaient morts, étouffés par la fumée qui monte de Huexotingo. La ville brûle dans des lamentations que j'ai préféré ignorer afin que la compassion ne me détourne pas de ma tâche.

À chacun de mes voyages, j'emporte tout ce que me permettent encore mes mesquines forces de vieillard et j'ai honte de reconnaître que ce n'est pas beaucoup. J'ai les bras maigres. Autres furent mes guerres, et je désirerais tant posséder les muscles d'un guerrier aztèque, cette vigueur dont je fus si souvent témoin quand ils attaquaient la ville en quête de victimes pour leurs sacrifices.

Quand l'assaut prenait fin, mon maître Tecayehuatzin pleurait à chaudes larmes pendant des jours entiers, et même les plus empressées de ses concubines ne parvenaient pas à étancher ses pleurs. Alors il m'appelait. Il m'appelait, moi, Itzahuaxatin, pour que je cherche dans les plis le baume des poètes. Je lui lisais : « Les hommes seraient-ils donc véritables ? Ne sont-ils pas une invention de notre chant ? » Et parfois ces paroles le rassérénaient, sa respiration devenait régulière et les pleurs cédaient la place à la colère.

« Une vérité », m'ordonnait-il.

Et je cherchais dans les plis des vérités, parmi les mille plis dictés par les poètes réunis sous la protection de mon maître Tecayehuatzin pour dire des vérités immortelles destinées à consoler le cœur le plus affligé et les esprits couverts de plaies qui venaient à Huexotingo, la cité de la musique et de la poésie. Et je lisais : « Nous savons que seul est vrai le cœur de nos amis. Nous savons que seul est vrai le pouvoir des rêves. »

Mon maître approuvait en silence, et, les yeux clos, sa noble tête inclinée sur sa poitrine, il tendait un bras en désignant le lieu où se dresserait le nouvel édifice qui effacerait l'horreur de la tragédie.

Je fais maintenant une pause. J'appuie le dos contre un mur d'albâtre et je sens venir vers moi la répugnante odeur de chair cramée et de corail brûlé.

En ce même endroit où je me repose, mon maître fit ce rêve qui me trouble. C'était un soir de chaude brise montant de la vallée. Après avoir écouté les poètes parler des fatalités, mon maître fit un rêve inquiet, peut-être motivé par les paroles d'Axahuantazol, le poète aveugle : « Le plus grand malheur est que s'achèvent les mots, que l'arbre devienne orphelin de sons et que nul ne puisse dire la saveur de ses fruits, les couleurs de ses feuilles, la fraîcheur de son ombre. » Ainsi parla l'aveugle, et les autres poètes s'absorbèrent dans une méditation douloureuse. Mon maître sombra dans un sommeil profond. Peu après il se réveilla angoissé et les convoqua de nouveau.

« Un quetzal au corps vide m'a parlé. Il était tenu par Tlazaltéol, la déesse de l'amour, celle qui mange nos excréments afin que nous puissions aimer. La déesse avait la bouche pleine de viscères d'oiseau. Comme elle ne pouvait pas parler elle ordonna au quetzal de le faire à sa place. Celui-ci s'envola, fondit sur moi et de son bec m'arracha le cœur. Puis il m'obligea à le suivre au bord d'un trou profond. Il y laissa tomber le cœur et lui-même tomba mort. »

Les poètes discutèrent et enfin laissèrent Axahuantzol interpréter le rêve.

« Tlazaltéol a vidé le corps du quetzal pour qu'il t'aime, mais l'oiseau s'est emparé de ton cœur sans douceur. Les dieux nous trahissent, mais l'oiseau t'a mené en un lieu où ton cœur repose à l'abri de la vermine, surveillé par le plus noble des oiseaux. Et qu'est ton cœur, Tecayehuatzin, seigneur de Huexotingo ? »

Aux paroles du poète aveugle succéda une activité fébrile. En un lieu secret du palais des souvenirs et des questions, des raisons et des doutes, des vérités et des fatalités, les esclaves entreprirent de creuser une galerie qui conduirait au pied de la montagne. C'est là que fut installée la grand salle où seraient classés les plis, les peaux colorés et les toiles de jute.

Quand les travaux furent terminés, les poignards d'obsidienne ouvrirent la poitrine des esclaves bâtisseurs et vidèrent les yeux des architectes. Leur sang fut mêlé au mortier des pièges qui devaient protéger la salle.

Je dois continuer. Mes muscles faiblissent, mes os se plaignent, mes jambes n'obéissent plus, elles persistent à vouloir gravir des marches alors que je suis arrivé sur le plat. Mais je dois continuer.

J'emporte le cœur de mon maître Tecayehuatzin vers les profondeurs que le quetzal indiquera. J'ai emporté d'infinies vérités, des questions, des raisons. J'ai les motifs du serpent qui avale la mer, la description détaillée d'un lavage oculaire, la genèse circulaire des dieux, les questions qui provoquent l'insomnie, les vérités qui conduisent au délire, la description de l'oiseau du bonheur dont le vol ne peut être contemplé qu'une seule fois, les mesures de l'obscurité, la mécanique qui permet à l'horizon de se placer derrière les hommes quand ils tournent la tête, et il me manque encore tant ! Mais je dois poursuivre, je dois continuer jusqu'à ce que les faïences vides des étagères m'indiquent que j'entreprends mon dernier voyage.

Mon maître Tecayehuatzin est mort. Morts les poètes et les musiciens, les sages et les architectes, les femmes et les eunuques. Morts les enfants et les oiseaux.

Après le rêve de mon maître, nous avons appris que les étrangers avaient découvert l'entrée de la vallée de Tlaxcala. Ces mêmes étrangers qui ont humilié Moctezuma. « Ils n'ont qu'un seul dieu », dirent les émissaires atterrés. Que pouvions-nous faire pour affronter ces gens qui sont barbares au point de n'adorer qu'un seul dieu ? Et combien de dieux exécuta ce dieu-là pour être seul à régner ? Nous comprîmes la frayeur de nos dieux qui s'enfuirent en nous abandonnant à notre sort, et les bras agirent avec sûreté, rassemblant bois, toile, tout ce qui est inflammable, et avec sûreté agirent les torches multipliant les feux dans les édifices, et sûrs furent aussi les potions d'adieu préparées par les sages.

Huexotingo a brûlé. Les palais se sont effondrés dans des lamentations de pierre et les coraux ne sont plus que cendres de mer. Tout le monde est mort. Sauf moi. Tout le monde est mort. Aucun de nous ne s'humiliera devant des êtres inférieurs.

Je dois poursuivre, je dois continuer à emporter les quelques plis qui restent dans les pupitres, parce que je suis Itzahuaxatin, le conservateur de la mémoire et du temps, celui qui, lorsqu'il décidera que le travail est terminé, devra s'arrêter à l'entrée de la galerie qui abrite le cœur de Tecayehuatzin, seigneur de Huexotingo et de Tlaxcala, et là, je m'enfoncerai un stylet doré en pleine poitrine, que je laisserai planté comme un appendice convoité de mon corps. Étrange joyau que je contemplerai en emprisonnant mes mains dans les anneaux qui sortent des piliers.

Quand les étrangers viendront mettre à sac ce lieu sans âge et qu'ils voudront bouger mon corps, fût-ce d'un cheveu, ils découvriront l'art de nos architectes qui calculèrent le poids de mon cadavre, et tout s'écroulera comme si rien n'avait jamais existé, et mes os fatigués seront le ciment de l'éternité de mon maître, de mon peuple, et de toutes les paroles qui ont été dites et de celles qui jamais ne seront répétées.

Description d'un lieu inconnu

L'origine des informations sur la ville est incertaine. Par ailleurs, la négligence des historiens, archéologues, anthropologues, ethnologues et autres scientifiques, qui persistent à accuser de charlatanisme ceux qui ont rapporté l'histoire, contribue à maintenir l'incertitude.

Cela ne doit pas nous surprendre. Nous savons que la connaissance est partielle et se fonde sur des procédés arbitraires. En effet, le botaniste qui s'apprête à découvrir la sexualité du ficus commence son travail en cherchant la confirmation de l'hypothèse d'hermaphrodisme qu'il a posée. Si au bout de vingt ans, la vérité, qui est toujours fortuite, persiste à lui démontrer qu'un coupable jeu d'accouplement se déroule dans chaque pot, le botaniste n'hésitera pas à proclamer la dégénérescence absolue du ficus et suggérera l'interdiction de sa culture dans le monde entier.

Revenons à ces informations sur la ville. Il se pourrait que la seule référence historiquement rigoureuse soit celle de Juan Ginés de Sepúlveda, « l'Humaniste », contemporain de Fray Bartolomé de las Casas, lequel en 1573, sentant l'imminence de sa mort, réunit autour de lui les quelques parents et proches qui ne se joignaient pas au chœur de moqueries que suscitaient ses idées. Ils se pressèrent autour du lit du moribond plus attirés par la rumeur d'un éventuel testament que par de pieuses considérations.

De son lit de vieillard lucide, mais consumé par les fièvres pulmonaires, l'Humaniste répartit avec équité les rares biens qu'il possédait. Mobilier, vaisselle, images religieuses, vêtements, barriques de vin et un ou deux cochons de lait devinrent propriété des personnes présentes jusqu'à ce qu'il ne restât du patrimoine du vieillard qu'un petit coffre, modeste joyau de sellerie de Salamanque qu'il pressait obstinément sur son ventre, s'y agrippant comme pour le protéger des regards de convoitise.

Lorsqu'ils l'ouvrirent, les héritiers éprouvèrent une grande déception. Il ne contenait pas un seul bijou, ni un doublon, ni une pièce de métal précieux, ni la moindre rangée de perles. À peine une liasse de feuillets jaunis, craquelés par de multiples manipulations et de nombreuses lectures, et écrits en très gros caractères. C'étaient onze des cinquante-deux pages qui composaient la *Carta rarísima*, missive envoyée par le Grand Amiral de la Mer Océane à leurs majestés d'Espagne le 7 juillet 1503.

Il est de notoriété publique que la *Carta rarísima* fut appelée ainsi à cause de deux détails qui y étaient consignés. Le premier est la confession d'un terrible rêve peuplé de visions apocalyptiques qui assaillirent le Grand Amiral aux pires moments de son quatrième voyage aux Indes, et de toute son existence. Le second, une phrase : « Le monde est petit », phrase difficilement compréhensible venant d'un marin qui avait vécu en défiant l'adversité et en refusant de voir l'horizon comme la fin de toute entreprise humaine.

Une telle affirmation, « le monde est petit », plongea dans la consternation la curie, la cour espagnole, les banquiers anglais, les lecteurs et scribes de l'époque, et il fut décidé d'omettre les fondements de l'opinion du Grand Amiral. Cette omission fut commise en égarant vingt-six pages de la *Carta rarísima*. Selon les historiens, ces pages furent mystérieusement perdues pendant la traversée, ou jetées à la mer par un parent du marin Rodrígo de Triana. Quoi qu'il en soit, onze de ces documents se retrouvèrent entre les mains de l'Humaniste d'une manière que nous ignorons.

Ce que nous savons, en revanche, c'est que dans ces onze pages le Grand Amiral décrit, dans un langage proche de l'hérésie, un lieu qu'il ne connut que par ouï-dire et qu'il appela successivement Mococomor, Mojojomol et Mojocoton. Plus tard, Juan de Cáceres, membre de l'expédition de Cortés, nous parlera en toutes lettres de Moxoxomoc dans son *Tenebrosus Egressus*, longue et léthargique chronique rédigée peu de mois avant que les Aztèques lui ouvrent la poitrine sur l'autel des sacrifices.

La description de Moxoxomoc consignée dans ces onze feuillets manuscrits, nous la devons à la bonne mémoire de Ruy Per de Sepúlveda, lequel avait treize ans quand son grand-oncle, Juan Ginés, l'Humaniste, les lut devant l'assemblée des envieux dépités. Ruy Per de Sepúlveda garda la narration en mémoire, mais il se peut que de nombreux et précieux détails se soient perdus dans le lent égrènement du temps, ou aient été arbitrairement déformés. Ce dernier point ne doit pas nous troubler ni nous inciter à blâmer le « mémorisateur ». Nous savons que la narration orale est la mère de la littérature, parce qu'elle crée et recrée constamment les situations selon l'état d'esprit et le bon plaisir du narrateur. En outre, nous devons signaler qu'il n'y eut parmi les descendants de Ruy Per de Sepúlveda aucun homme de lettres ou amateur d'histoire au cours des trois siècles suivants. Les descendants de Ruy Per de Sepúlveda eurent recours à ces onze pages comme passe-temps durant les nuits d'éclipse lunaire, comme bouffonnerie pour gagner un verre de vin dans les gargotes, ou comme une histoire pour montreur de marionnettes. Mais malgré tout, elles sont arrivées jusqu'à nous.

Selon les Sepúlveda, le Grand Amiral situait la cité de Moxoxomoc en quelque lieu de ce qui est aujourd'hui la frontière entre le Mexique et le Honduras. Cette ville, si du moins il faut l'appeler ainsi, était composée de deux énormes édifices rectangulaires, très élevés, en pierre finement ouvragée et décorée de bas-reliefs représentant des figures humaines dans les plus diverses attitudes – rien d'étrange, donc, à ce que l'illustre marin eût parlé de monstres –, et ces deux constructions se dressaient sur un aride sol caillouteux.

Il est difficile de ne pas remarquer les détails candides dont les Sepúlveda ornèrent la narration. S'il faut en croire la *Description de trésors faciles à trouver*, d'Alonso de Sepúlveda, frappeur de monnaie de la vice-royauté de la Plata, Moxoxomoc ne serait rien moins que la fabuleuse cité perdue des Césars, mais tout cela n'est qu'élucubration gratuite.

Que cette ville fût constituée de deux grands édifices ne doit pas nous faire imaginer des fortifications militaires ni des logements collectifs. Les bâtiments se dressaient exactement face à face, selon la ligne du déplacement solaire. Une centaine de yards les séparaient et tous deux avaient leurs portes d'entrée orientées au ponant, et de sortie, au levant. Chacun n'avait que deux portes, une d'entrée, une de sortie, et l'intérieur avait été conçu comme un labyrinthe. D'étroits corridors rectilignes, parfois interrompus, conduisaient à la porte de sortie. Leurs murs offraient du côté gauche des étagères montant jusqu'au plafond, chargées de codex rédigés en écriture maya, et de petits bancs de pierre.

Une telle architecture ne doit pas nous étonner. On suppose que le mot Moxoxomoc appartient au dialecte uaxactum, et les Uaxactum dominaient les « mathématiques proportionnelles » cinq siècles avant notre ère. Certains – notamment Youri Knorozov – soutiennent que Moxoxomoc appartient plutôt au dialecte zotzil, mais cela n'invalide pas ce qui précède.

Si nous nous en tenons aux descriptions du Grand Amiral, les deux édifices formaient une étrange bibliothèque. Dans le premier entraient, dès l'âge de cinq ans, les descendants de la caste des sages, et ils n'en repartaient qu'une trentaine d'années plus tard quand ils atteignaient la sortie du labyrinthe. Jour après jour, année après année, ils étudiaient. Tout d'abord, la lecture des codex ; plus tard ils les interprétaient, les discutaient, recommençaient à les interpréter et à les discuter jusqu'à dominer les secrets des arts, des sciences, de la création et des origines. Ils finissaient par posséder une telle sagesse qu'ils parvenaient à guider le cours des rêves, la seule entreprise que les hommes ne se sont jamais risqués à assumer.

Au sortir de l'édifice, pâles comme la pierre, quasi transparents, dubitatifs devant le choix de marcher ou de léviter, ils étaient fêtés pendant sept jours sur l'esplanade séparant les deux bâtiments. On les saluait comme « ceux qui n'ont pas besoin de parler car ils possèdent toutes les questions et connaissent toutes les réponses ». Ils étaient l'objet de réjouissances ; en leur honneur on sacrifiait des jeunes filles et des esclaves, mais ils demeuraient à l'écart. Leur unique participation consistait à copuler avec les vierges choisies pour préserver la caste des sages.

Le huitième jour ils entraient dans le deuxième édifice, pour une nouvelle claustration qui durerait encore trente ans, durant lesquels ils devaient parcourir le labyrinthe en formulant cette fois leurs idées et leurs réflexions, leur nouvelles questions et leurs nouvelles réponses, sur des planches végétales, avec une discipline et une rigueur telles qu'à l'issue de ce cycle de soixante années, la bibliothèque du premier édifice voyait sa richesse dupliquée.

Les illuminés payaient la lumière avec de nouvelles lumières.

Dehors, tout n'était que tuerie et mort. Des foules perdaient leurs viscères sur les autels des sacrifices. Les dieux vendaient leurs faveurs de plus en plus cher et, à soixante-cinq ans, les illuminés parés du titre de sage, c'est-à-dire absolument nus, franchissaient la porte de sortie du deuxième édifice pour se mettre en route dans l'inutile solitude de la sagesse.

Qu'arriva-t-il à cette fabuleuse ville-université-bibliothèque ? Nous l'ignorons et probablement nous ne le saurons jamais. Elle n'est peut-être que le fruit de l'affabulation des Sepúlveda, attribué par erreur à la plume du Grand Amiral. Nous ignorons aussi le destin de ces onze feuillets vus pour la dernière fois entre les mains tremblantes de l'Humaniste. Ce que nous savons en revanche avec certitude c'est que Ruy Per de Sepúlveda a transmis la chronique à ses descendants et ceux-ci aux gargotes, cabanes et haltes rencontrées en chemin.

Ruy Per de Sepúlveda fut la risée de Séville jusqu'à sa mort, en 1680, mais aujourd'hui, en écrivant sur cette vision de Moxoxomoc, par quelque obscur dessein encore fraîche dans ma mémoire, je ne peux m'empêcher de tressaillir en pensant au Grand Amiral rédigeant fiévreusement les écrits de son malheur, et en pensant aussi à Juan Ginés de Sepúlveda les conservant sans bien savoir pourquoi ni pour qui. Peut-être l'Humaniste avait-il pressenti que les sages de cette cité incertaine anticipaient l'inutilité du savoir qui aujourd'hui nous harcèle. Et je suis ému de penser au premier informateur, ignoré à jamais sous le poids des siècles.

Un homme de Cortés pénétra-t-il dans les labyrinthes ? Un, plusieurs ? Et ensuite ? Retournèrent-ils dans le vieux monde pour former des sociétés secrètes ? Et dans ce cas, parvinrent-ils plus tard à survivre à l'Inquisition ?

D'où vient ce rejet du pouvoir de la part de ceux qui savent, de ceux que nous ne connaissons pas, mais dont nous recueillons avec horreur le fruit des connaissances ?

Peut-être les questions posées par ce récit sont-elles déjà résolues et mille fois reformulées dans les blancs labyrinthes de Moxoxomoc.

Le champion

Le garage était ouvert comme une invitation innocente, mais il n'osait pas traverser la rue, faire les quelques pas nécessaires et franchir la grosse porte en bois.

Il pensait au « Loup de San Pablo ». Il l'imaginait avec sa face d'ivrogne repenti en train de rassembler les affaires du champion pour les porter à sa famille, là-bas dans le sud.

La porte du garage était ouverte, et comme plusieurs jours s'étaient écoulés depuis son retour, cette apparente normalité ne faisait qu'augmenter la confusion qui le tourmentait.

Il décida d'attendre. Il ne savait pas très bien pourquoi, ni combien de temps. « L'attente est parfois plus dangereuse que l'attaque », se dit-il, mais il finit par se convaincre que, dans ce cas, c'était plus prudent, et il s'éloigna sans s'arrêter sur le trottoir opposé, sans même jeter un coup d'œil à l'intérieur du garage.

Il se réjouit de constater qu'il ne boitait presque plus, même si sa blessure le faisait encore souffrir. Un tir miraculeux. Une balle de carabine Garand était entrée dans sa cuisse et ressortie proprement sans toucher aucun nerf.

Il se dirigea vers le café, entra, demanda une limonade et essaya de mettre de l'ordre dans ses idées.

La femme derrière le comptoir le regarda étonnée. Elle le connaissait. Elle l'avait souvent vu passer avec le champion quand ils se rendaient à l'arrêt de bus. Il sentit qu'il commettait une erreur stupide, une erreur de débutant, ce qu'il n'était pas. Son récent voyage de retour et la balle dans la jambe faisaient de lui un vétéran. Il paya la boisson et partit la bouteille à la main.

Après avoir longé deux ou trois pâtés de maisons, il trouva un petit parc fraîchement arrosé et s'assit sur un banc près d'un massif d'iris. À peine installé, il fut entouré de moineaux. Les plus audacieux lui picotaient le bout des chaussures et il fouilla les poches de sa veste sans trouver de miettes, juste des brins de tabac collés sous ses ongles. Les oiseaux durent comprendre qu'ils perdaient leur temps et s'envolèrent vers les cimes des acacias où ils disparurent.

Il se sentit sain et sauf, comme avant, et pensa au Loup en train de nettoyer le ceinturon du champion comme s'il ne s'était rien passé.

Le ceinturon du champion était lourd. Il se composait d'une bande tricolore en matière élastique, destinée à ceindre la taille avec élégance, et d'une grosse boucle en bronze, que le Loup de San Pablo se chargeait de maintenir rutilante, sur laquelle était écrit en relief : « VIIIe Jeux Olympiques Panaméricains. Catégorie Welter » ; et le mot CHAMPION en lettres majuscules sur une paire de gants croisés.

Le champion. Quand il avait fait sa connaissance, il ne lui avait vraiment pas plu.

« Iván » l'avait chargé de prendre contact avec lui, de le flairer, de faire les premiers pas afin de savoir si l'homme était fiable. À ce moment-là, on n'en savait pas beaucoup sur lui : on l'avait exclu du parti communiste en l'accusant d'être un agent de la CIA, un provocateur, enfin, les classiques disqualifications qui étaient brandies à cette époque.

— Il est facile à reconnaître, avait dit « Iván ». Il a les cheveux crépus, il mesure environ un mètre soixante-dix et il a une petite tache blanche sur l'œil gauche. Autre chose : il est drôlement costaud.

Ils s'étaient donné rendez-vous aux Parrilladas Roma, au début de la Gran Avenida, dans le quartier des abattoirs. L'endroit ne lui sembla pas très approprié à une telle rencontre, mais il s'y rendit, observa furtivement les visages des ouvriers qui dévoraient de la viande grillée et l'identifia à une table du fond.

— « Gonzalo » ?

Celui-ci répondit et lui indiqua une chaise.

— Je m'appelle « Pedro ». Tu ne crois pas que ce serait mieux d'aller causer ailleurs ? Il y a trop de monde ici.

— On est bien ici et on peut parler de tout. On se mange quelques tripes ? C'est moi qui régale, compadre.

Il accepta en sentant qu'il venait de perdre un point précieux. C'était lui qui devait contrôler la situation.

Ils passèrent la commande et s'accordèrent sur la couverture de leur rencontre.

— De quoi on est censés parler ? demanda « Gonzalo ».

— Décidons. Un sujet qu'on connaît tous les deux.

— Tu t'y connais en boxe.

— Un peu. Pas beaucoup.

— Bon, ça va. Je t'ai expliqué la différence entre un poids mouche et un mi-lourd ?

Il lui détailla rapidement l'échelle montante de trois kilos et quelques qui permet aux boxeurs de changer de catégorie, chacune portant un nom.

Les tripes arrivèrent fumantes sur le petit brasero. Il fut agacé par la familiarité du garçon.

— Une petite bouteille de rouge, champion ?

— Qu'est-ce que tu en dis ?

— Et comment. Les tripes, il faut les faire descendre avec du vin. Tu es connu ici, hein ?

« Gonzalo » répondit que c'était son quartier et qu'il était connu dans beaucoup d'autres endroits.

— Et ce champion, d'où ça vient ?

Il éclata de rire et dit qu'il était vraiment un champion. Trois ans plus tôt, il avait obtenu le titre panaméricain des welters, et à ce jour personne ne le lui avait repris.

Ils mangèrent en silence. Il cherchait les premiers mots des arguments qu'il devait lui exposer, mais il ne les trouvait ni dans les tripes qui disparaissaient ni dans l'air joyeux de « Gonzalo ».

— Pas mal le vin, non ?

— Oui, très bon.

— Le patron a une petite vigne près de Molina. C'est de là qu'il vient. Mais seulement pour les clients de la maison.

— Écoute, je ne suis pas venu pour parler de vin. Non, sérieusement. Allons ailleurs. Ici je ne peux pas parler et c'est important.

« Gonzalo » le regarda attentivement en pliant sa serviette.

— Du calme. « Iván » sait que je suis d'accord. Je veux lutter, c'est tout. Je ne suis pas un intellectuel, je ne pourrais rien ajouter à ce que tu dois me dire. Je suis d'accord et je suis décidé. Voilà l'important. On ne se connaît pas et ce n'est pas en parlant que ça changera. C'est dans l'arène qu'on voit le coq. On se comprend ?

Ils finirent de manger et le champion l'accompagna à l'arrêt de bus. Dans la poignée de main qu'ils échangèrent, il sentit que la confiance venait.

Quelques semaines plus tard, le groupe comptait non seulement un nouveau membre, mais aussi le garage de réparations que celui-ci possédait et qui vint enrichir notre infrastructure : il servait de salle de réunion, d'entrepôt de documents de travail et, le soir à l'entraînement militaire en vue d'actions qui restaient à préciser.

« Gonzalo » vivait dans une pièce adossée au hangar et acceptait de bon cœur d'être appelé de ce pseudonyme, par ailleurs inutile puisqu'il suffisait de jeter un coup d'œil chez lui pour découvrir son véritable nom gravé sur les trophées alignés sur une commode.

Il arrivait qu'un client le reconnaisse et, oubliant ses ennuis mécaniques, reparte en toute hâte acheter des bières et revienne s'asseoir sur les caisses à outils pour lui demander de raconter une fois encore ces trois rounds du combat pour le titre. Ce qu'il faisait bien volontiers, pendant que les autres dissimulaient leur nervosité.

La situation la plus critique eut lieu un après-midi où ils s'attaquaient à des études de cartographie. Ils entendirent soudain des coups frappés contre la porte. « Alonso » se leva pour regarder par le judas et faillit tomber à la renverse en constatant qu'il y avait dehors une voiture de patrouille. Ils n'avaient pas d'autre solution que d'ouvrir la porte et d'attendre la suite des événements.

Deux carabiniers entrèrent, suivis par un sous-officier qui puait le vin.

— Excusez le dérangement, mais on a crevé un... Champion ! Putain ! Tu ne me reconnais pas ?

Le sous-officier s'élança sur « Gonzalo »

— Mais si, bien sûr, sergent López.

— Sous-officier López ! corrigea l'homme en uniforme en montrant ses épaulettes.

Les deux policiers et le reste du groupe demeuraient muets. « Gonzalo » accepta l'accolade, les petites tapes amicales sur le ventre, et prit finalement la parole.

— Les gars, je vous présente le sous-officier López. Il m'a découvert quand je venais à peine de mettre les gants.

— Et tu étais un poids mouche, précisa le flic. Tu étais poids mouche et quand je t'ai vu sur le ring pour la première fois, je me suis dit : « Ce blanc-bec, c'est de la graine de champion. » Moi, j'ai l'œil clinique. Tu t'en sortais bien, mais c'était pas ta catégorie. Tu te souviens de ce que je t'ai dit ? « Petit, la boxe c'est comme le mariage. Si on fait pas le poids on peut pas offrir un bon spectacle. » Et vous savez ce que j'ai fait ? – dit-il en s'adressant à ses hommes. Je l'ai emmené tous les jours manger au commissariat. Tu te rappelles, champion ? Tu te rappelles ces testicules grillés que te préparait Moyita, le cuisinier ? Tu te rappelles le sang ? Chaque vendredi, un demi-litre de sang pur, encore chaud. Tu te rappelles, champion ? Je disais au tueur de l'abattoir : « Ce petit agneau, tu me le traites bien, avec tendresse, pour qu'il marche à l'échafaud en tout confiance et qu'il meure tranquille, sans panique, sans adrénaline, parce que son sang doit servir à fortifier le corps d'un gamin qui fera parler de lui. » Quelle saloperie pour ces pauvres bêtes, mais ça valait la peine. Champion dis-moi si oui ou non j'ai été un bon manager ?

— Le meilleur du monde, affirma « Gonzalo ».

— Tu as les trophées ici ?

« Iván » lui fit un clin d'œil pour lui signifier d'aller les chercher et il l'accompagna à la maison.

— L'affaire n'est pas trop grave mais ça peut mal tourner s'il commence à poser des questions gênantes. Tout repose sur toi, « Gonzalo ».

— Du calme. C'est un brave type et j'ai la situation en main.

Ils revinrent les bras chargés de trophées. Le sous-officier les contemplait d'un air rêveur pendant que les deux carabiniers étaient allés chercher une bouteille de pisco dans leur voiture.

— Regardez-moi ça : Champion poids coq. Championnat des quartiers. Concepción. Et celle-là. Argent massif. Champion poids plume, encore à Concepción. Et de là, tu es monté au nord, petit, pour montrer aux pampinos[1] comment cogne un gars du sud. La voilà la preuve. Champion poids légers, à Iquique. – En prenant le ceinturon à grosse boucle de bronze, le sous-officier ne put contenir ses larmes –. Et tu es allé loin, gamin. Putain ! Écoutez ça et redressez-vous tas de feignasses : Huitièmes Jeux Olympiques Panaméricains. Catégorie welter, champion. Ouais, tu es allé loin, gamin. Putain que tu es allé loin !

1. Habitants des pampas du nord du Chili.

Le policier pleurait à chaudes larmes en étreignant « Gonzalo » tandis que les autres buvaient du pisco à la bouteille et se passaient les trophées de main en main. Il y avait des mois qu'ils se retrouvaient au garage et ils ne s'étaient jamais intéressés à ces symboles de gloire, gagnés pendant les trois minutes d'un round, dans la brève éternité de la victoire ou de la défaite. C'est alors qu'arriva la question inattendue.

— Et ces jeunes, champion ? C'est des ouvriers ?

« Gonzalo » répliqua par une réponse précise.

— Non, sous-officier. Ces gars-là mettent aussi les gants, on est en train de monter un club de boxe dans le quartier.

Le policier se sentit dans son élément et il leur ordonna de se mettre en garde en les traitant de fortes têtes.

— Poids ?

— Soixante-quatre, dit « Alonso ».

— Super léger, hoqueta le policier.

— Poids ?

— Quatre-vingts. Lourd, répondit « Iván ».

— Mi-lourd, corrigea le policier.

— Poids ?

— Soixante-treize, répondit « Pedro ».

— Il te faut deux kilos de plus, petit. Tu as une bonne allure de moyen et j'aime tes petites mains.

Tous pensaient avec soulagement à l'absence de « Paty ». Ils l'imaginaient déclarant son poids et le policier la classant comme petite mouche ou tout autre bestiole légère.

Après la visite des policiers, ils s'habituèrent à la transparence de « Gonzalo ». Tout marchait bien. Lui et « Alonso » se chargeaient de faire tourner le garage et les voisins les considéraient comme un groupe d'enthousiastes du ring que le champion était en train de former. Ainsi, chaque soir, ils nettoyaient le garage et, avec trois bidons d'huile et le démonte-pneu, ils bricolaient un ring de taille presque réglementaire, sur lequel ils poursuivaient les entraînements militaires. Pour compléter le camouflage ils achetèrent des gants usés et « Alonso » suspendit un énorme sac de sable pour se durcir les mains. « Paty » s'amusait de les voir transpirer et disait qu'ils ressemblaient aux personnages des histoires de Rind Larner.

Les mois passaient et des nouvelles de plus en plus alarmantes arrivaient de Bolivie. Le cri « Nous reviendrons dans les montagnes », lancé après la mort du Che rencontrait un écho croissant parmi les paysans, les mineurs et les étudiants. C'est du moins ce que disaient les communiqués. La Bolivie allait enfin être le cœur du continent. Les communiqués de l'organisation l'affirmaient et parlaient aussi de contingents argentin, uruguayen, péruvien, colombien, qui se joindraient à la lutte dans les montagnes et les forêts boliviennes. On pouvait même compter sur la participation de quelques Cubains, des vétérans de la Sierra Maestra décidés à poursuivre la voie initiée par le Che. Eux, ils formaient le détachement chilien et se préparaient dans un garage maquillé le soir en gymnase de boxe.

Le temps passait et la date du départ approchait. La radio donnait des informations sur les actions de la guérilla dans les environs de Santa Cruz et le gouvernement bolivien avait mis à prix la tête d'« Inti » Peredo. « Là-haut, la situation est explosive », disait-on. « Là-haut, la situation est explosive », répétaient les communiqués.

Arriva enfin le moment où « Iván » annonça que le contact avec la guérilla avait été établi et que l'organisation ordonnait d'entamer les préparatifs du voyage.

Le premier objectif était Oruro. Là, il faudrait entrer en contact avec les gens des mines qui les conduiraient, à travers leur réseau clandestin, jusqu'aux fronts de la guérilla. Ils avaient une date limite pour arriver à Oruro, car le développement de la lutte provoquerait la militarisation des frontières.

La situation était explosive et aucun d'eux ne put fermer l'œil cette nuit-là.

En regardant les iris bercés par le vent, il se souvint que cette nuit-là, il s'était arrêté dans ce petit parc pour fumer une cigarette et contrôler l'euphorie qui s'était emparée de lui. Puis il avait marché sans but, pour faire ses adieux à Santiago, cette ville qu'il aimait en secret sans jamais oser l'avouer. C'était l'été. La nuit douce et tiède enveloppait ses pas dans un silence félin et il se demandait combien de temps durerait la lutte dans les montagnes. Et après ? Qu'arriverait-il ? Tout serait différent. La guérilla triompherait en Bolivie et avec elle les habitants de ce continent retrouveraient le sens de la victoire. Quel honneur c'était de vivre une telle époque. « Parce que l'histoire devra désormais compter avec les pauvres d'Amérique ».

Les rues semblaient interminables. Chaque détail devenait inédit, inconnu, beau. Il marchait en voyant défiler des images comme des plans vertigineux d'un film en tournage. À cette heure-là, ses compagnons d'université dormaient, rêvaient, faisaient des projets de week-end avec leurs petites amies, des projets de bal, de plage. Lui, en revanche, faisait partie d'un groupe qui avait des projets bien différents. Avant de tomber à Ñancahuazu, le Che avait écrit que le guérillero atteint une dimension supérieure de l'homme.

L'Homme Nouveau. Y arriverait-il lui aussi ? Il était sûr des autres. À cette heure, « Alonso » devait être avec sa mère qu'il prévenait de sa prochaine absence en lui disant qu'il partait faire des études au Costa Rica. « Paty » se chargerait de lui faire parvenir tous les mois une modeste somme allouée par l'organisation pour faire face aux dépenses indispensables. « Paty », la compagne d'« Iván » accepta à contre-cœur l'ordre de rester. Ces derniers temps, on les avait vus plus proches que jamais. Ils s'aimaient depuis leur première rencontre aux Jeunesses Communistes, pendant la marche « Paix au Viêt-nam », de Valparaiso à Santiago. Ils avaient été exclus ensemble du Parti, pour ultra-gauchisme et c'est ensemble qu'ils avaient rejoint l'organisation. « Iván » dirigeait le groupe. Il était le seul à avoir une expérience militaire et il s'imposait par ses capacités politiques. Et « Gonzalo ». Lui avait été mineur, pêcheur, ouvrier du bâtiment, mécanicien et en même temps champion de boxe. « Iván » répétait que « Gonzalo » avait de la discipline et du charisme. Il pouvait être tout à la fois juste et rigoureux. Tous sentaient que « Gonzalo » était le meilleur. Un jour, il lui raconterait tout ce qu'il était en train de penser dans les rues endormies de Santiago.

Santiago. Les Allemands de la brigade Thaelmann s'étaient-ils séparés ainsi de Hambourg, Berlin ou Leipzig avant de partir en Espagne ?

Santiago. Les yankees de la brigade Lincoln avaient-ils parcouru Chicago, New York ou Cincinatti avant de gagner le front de l'Èbre.

Santiago. Le Che avait-il fait ses adieux à Buenos Aires ?

Quelques jours plus tard, une fois résolus les problèmes personnels, vint l'heure de se rassembler pour partir à tout moment, de quelle manière, nous ne le savions pas encore.

En entrant dans le garage, « Iván » et « Alonso » le regardèrent avec la même stupeur que la sienne en voyant l'inconnu bourrer de coups le sac de sable. C'était un type costaud. Son nez écrasé faisait ressortir son visage d'alcoolique. Il lançait ses mains avec souplesse, mais on remarquait la force de ses poings. Le sac ne se balançait pas comme lorsque l'un d'entre eux le frappait, il tressaillait comme un corps pendu, dans l'attente du coup suivant, ses muscles de sable tendus pour encaisser le châtiment infligé par ces poings adroits. L'homme respirait calmement et semblait toujours se tenir sur un pied.

— Venez, dit « Gonzalo ».

Ils s'enfermèrent dans la maison sans cesser d'observer l'inconnu à travers les vitres de la porte.

— Ne me posez pas de questions avant que j'aie tout expliqué. Nous n'avons toujours pas résolu le problème du voyage. On peut partir séparément et se retrouver à Oruro, mais nous sommes assez voyants, on n'a rien de bolivien et on peut être sûrs que l'armée à les nerfs à vif avec toutes les bestioles bizarres qui passent la frontière. Jusqu'à maintenant ma transparence nous a été très utile et je crois qu'elle peut nous servir à atteindre Oruro sans difficulté. En plus, je suis en train de penser à un formidable coup de propagande, mais je vous en parlerai plus tard. S'il vous plaît, ne m'interrompez pas. À Oruro il y a un champion poids welter et je l'ai défié. Il a accepté. C'est un boxeur de l'armée. Le combat aura lieu dans trois semaines et on peut tous voyager avec cette couverture.

Ils étaient tellement ébahis qu'ils n'arrivaient pas à réfléchir. « Iván » lui ordonna de finir d'exposer son plan.

— J'ai tout préparé et nous avons l'appui de la Fédération Chilienne de Boxe. Je connais plusieurs types qui veulent me voir passer professionnel pour gagner du fric sur mon dos et je les ai appâtés en disant que ce combat avec le Bolivien ferait revenir mon nom chez les commentateurs sportifs. Ils nous fournissent les billets. En bus jusqu'à Antofagasta et de là en train jusqu'à Oruro. Je vous ai parlé d'un coup de propagande. Je vais gagner ce combat. Vous vous rendez compte de ce que ça signifie ?

— Mais, et nous ?

— Tout est arrangé. « Iván » est mon manager. « Alonso », mon assistant, et « Pedro », mon masseur. Inutile de dire qu'on doit voyager sous nos vrais noms.

— Et que vient foutre le copain d'à côté ?

— Il fait partie du coup de propagande. J'ai besoin de lui. Cet homme est un boxeur sur le retour. Je le connais bien et je ne peux pas trouver un meilleur entraîneur.

Ils n'eurent pas besoin d'une longue discussion pour accepter le plan de « Gonzalo ». Il leur permettait de voyager tranquillement, en toute légalité, et enfin ils virent le parti à tirer du coup de propagande : un sportif qui après avoir obtenu un triomphe rejoignait la guérilla avec toute son équipe.

Les semaines suivantes furent frénétiques. Les voisins apprirent que le champion se rendait en Bolivie pour défendre son titre et même si les connaisseurs prétendaient qu'il aurait été plus juste que ce soit le Bolivien qui vienne à domicile, ce qu'imposaient les règles fixées par le marquis de Queensberry, ce voyage témoignait du courage du champion qui partait remettre son titre en jeu, et tous se montraient satisfaits du Loup de San Pablo qui les représentait sur le ring.

Protégés par la transparence de « Gonzalo », le groupe s'enfermait dans la maison pour réviser sans relâche les connaissances acquises. Cartographie, météorologie, géographie, botanique médicinale, armement et désarmement, l'*abc* de la guérilla, tandis que le sous-officier López venait tous les deux jours pour mesurer les progrès du champion, avec un panier plein d'œufs de la campagne, qu'il lui recommandait de manger crus avec coquille et tout, parce qu'il lui fallait beaucoup de calcium, d'ail et d'oignons crus, pour mieux résister à l'altitude.

Du ring fusaient les instructions du Loup de San Pablo.

— Dans les cordes. Dans les cordes, champion. Maintenant. Du nerf. Frappe. Un, deux, un, deux, surveille tes jambes, un, deux, un, deux. Reviens dans les cordes. Bloque le visage. Attention. Maintenant ! Cogne ! Un, deux, un, deux, crochet du gauche ! Reviens dans les cordes. Frappe. Un, deux, un deux. En arrière. Envoie un direct du droit, la taille, la taille, en haut ! Et maintenant, tu le mets KO ! KO, champion !

La dernière soirée à Santiago arriva. Le lendemain ils partiraient cogner.

Ils avaient envie d'être avec la famille, ou les amis, ou seuls. Chacun avait imaginé mille fois cette soirée. Le secret de leur vie serait rapidement découvert, mais ils seraient loin déjà. Malgré leur besoin de communion, il fut impossible d'éviter la fête que les voisins improvisèrent.

Ils arrivèrent par petits groupes au garage avec du pain, un barbecue, de la viande marinée, des bouteilles de vin, des saucisses, des empanadas, des cartons de bière, des salades multicolores, et avant qu'ils puissent se remettre de la surprise, une nappe blanche recouvrait l'établi. Le président de l'Association du Quartier parla de l'affection que tous éprouvaient pour le champion, et bien sûr pour ses collaborateurs, de l'extraordinaire fierté que ressentait tout le quartier d'avoir un voisin tel que lui et du bonheur que sa victoire leur procurerait.

— Mais si le sort vous est contraire, champion, si vous ne gagnez pas, si le Bolivien vous rend à nous avec un œil en compote, eh bien, vous comprenez mieux que nous la profondeur de la phrase olympique : « L'important n'est pas de gagner, mais de participer. » Donc si vous ne gagnez pas, champion, sachez que notre affection sera la même, mais comme on vous connaît, on a confiance en vos poings. J'ai dit.

Le vin était généreux, et les meilleurs morceaux de la grillade furent pour « Gonzalo ». Ils se regardaient et savaient, sans le dire, que c'étaient les meilleurs adieux possibles. Et quant à la victoire, qui en doutait ?

À la fin de la fête, le Loup de San Pablo s'approcha de « Gonzalo » pour lui garantir qu'en son absence tant le garage que les trophées seraient nickel.

— Quel dommage que j'aie des problèmes avec la justice et que je ne puisse pas sortir du pays. Sinon, j'aurais bien aimé vous accompagner pour vous conseiller au bord du ring. Gaffe aux coups de boule, champion. Les Boliviens sont vicieux et ils ont la tête dure. Vous ne savez pas comme je me sens mal de vous laisser seul. C'est pas que je me méfie des garçons, ils sont enthousiastes, mais ils n'ont pas beaucoup d'avenir dans les poings. Et puis je veux vous dire quelque chose, vous savez que je ne suis pas très bavard. Alors merci. Merci beaucoup, champion.

— C'est moi qui dois vous remercier. Allez, au diable tout ça ! Vous vous occupez du garage et on est quittes.

— C'est pas aussi simple. Vous savez que vous m'avez sorti de la merde. C'est un honneur pour moi de vous aider avec le peu que je sais.

— Mais vous êtes très bon. Vous connaissez les techniques et vous savez les appliquer au moment opportun. Loup, il y a quelque chose d'autre. Il est possible qu'on ne revienne pas tout de suite, que je sois embarqué pour une tournée. Mais ça doit rester entre nous.

— Je suis une tombe, champion.

— Je sais. Il y a une question que j'ai toujours voulu vous poser. D'où vient ce nom de Loup de San Pablo ?

— D'autrefois. Quand j'étais encore un bleu et que je m'entraînais au Mexico Boxing Club de la rue San Pablo. J'étais jeune et quelqu'un a remarqué que j'attaquais mieux quand j'étais dans les cordes, traqué comme un loup. Mais c'est le passé. Aujourd'hui je suis fini. La peau du loup est trop grande pour le vieux chien que je suis. J'ai raccroché les gants, champion.

Les paroles du boxeur s'éteignirent avec les dernières braises et une légère fumée se confondit avec les ombres.

En voyant les mégots qui jonchaient le sol, il sut qu'il était resté longtemps assis dans le petit parc. L'amère saveur qui envahissait sa bouche ne venait pas du tabac. Il sut aussi qu'il n'aimait plus ce petit parc, ni cette ville. On n'aime pas les lieux où l'on revient vaincu.

Il se leva et prit le chemin du garage. En traversant la rue, sa blessure lui fit mal. Il avait été soigné dans une planque de la guérilla avec des moyens très rudimentaires et quand ils l'avaient laissé à un passage frontalier, ils lui avaient dit de ne pas trop marcher.

Il trouva le Loup de San Pablo en train de boire du maté dans la cuisine. L'homme sursauta en le voyant et il ne parvint pas à discerner s'il le regardait avec haine ou simplement avec surprise, jusqu'à ce qu'il pose sa calebasse et vienne l'embrasser en pleurant.

— Alors, c'est vrai ?

— Oui, Loup. Ils l'ont tué.

— Ils ont tué le champion…

— Et « Iván »… et « Alonso »…

— … le champion. Ces fils de pute ont tué le champion…

— Quand est-ce que vous l'avez su, Loup ?

L'homme ne répondit pas. Les larmes noyaient son nez écrasé et il respirait avec difficulté. Il alla en pleurant vers la commode sur laquelle brillaient les trophées et il tira de l'un d'eux une coupure de journal :

« Une délégation de sportifs amateurs chiliens a trouvé la mort à la gare d'Oruro, en Bolivie, lors d'un affrontement entre des guérilleros de l'Armée de Libération Nationale et des effectifs des forces armées boliviennes. Selon des sources militaires du pays voisin, les sportifs chiliens faisaient partie d'un commando extrémiste ayant pénétré en territoire bolivien pour se joindre aux subversifs qui opèrent dans la région montagneuse du Teoponte. Le gouvernement chilien a sollicité des autorités du pays frère une enquête approfondie au sujet de ces faits. La délégation sportive, qui voyageait avec le soutien de la Fédération Chilienne de Boxe, comptait parmi ses membres le champion panaméricain des poids welters… »

Il lui rendit la coupure de presse.

— Un maté ?

— Non, merci Loup. Je dois m'en aller. Écoutez, voilà un peu d'argent. Remettez les trophées à la famille. Vous savez où ils vivent.

L'homme acquiesça sans un mot.

— Adieu, Loup. Bonne chance.

Il se dirigea vers la porte. Dans le hangar il y avait encore le ring formé par trois bidons d'huile et le démonte-pneu. À côté pendait le sac de sable. La voix du boxeur l'arrêta.

— Attendez un peu. Je ne comprends pas. Des fois il y a beaucoup de choses que je ne comprends pas. Ça doit être à cause de tous ces coups que j'ai reçus sur la tête, mais moi je l'aimais le champion, je l'aime encore et je ne peux pas croire que tout cela soit vrai. Il est monté sur le ring ?

— Non. Ils l'ont tué avant. Dès qu'on est descendus du train. On a été vendus. Je m'en suis tiré par…

L'homme ne l'écoutait pas. Une expression de douleur idiote sillonnait son visage d'alcoolique.

— Alors, il est toujours le champion, dit-il et il se retourna pour donner des coups furieux sur le sac de sable.

Rendez-vous d'amour manqués

Café

Elle est sous la douche. L'eau tombe sur son corps et s'arrête en formant de soudaines stalactites dans l'abîme de ces seins que tu as embrassés si longuement. Tu mets le café dans le filtre, tu calcules la quantité d'eau pour quatre tasses et tu presses le bouton rouge.

Tu entends le bruit de l'eau bouillante qui tombe goutte à goutte sur le café en formant une boue aromatique. Ciment qui unit les pavés du matin.

Elle apparaît dans sa sortie de bain négligemment nouée. Tu peux voir ses cuisses luisantes encore humides. Tu retires la cafetière, la portes sur la table, disposes les tasses, vérifie que les oeillets restent dans leur position rosée d'agonisants. Ils ne sont pas aussi purement périssables que les roses de mai.

Elle apparaît maintenant avec une serviette de toilette nouée en turban, tu peux voir sa nuque, le cou lisse et frais, qui sent le talc. Dépassant du turban une petite mèche échappe au séchage et colle à la peau en une étrange présence de blondeur pétrifiée. Elle s'assied, toi aussi, et en face de vous, le silence de toujours occupe sa place.

Tu sers le café lentement, tu lui tends la tasse pleine, tu remplis la tienne, du regard tu lui offres ce qui se trouve sur la table. Du pain, du beurre, de la confiture et d'autres choses qui à cette heure et dans ces circonstances te semblent totalement insipides. Tu constates qu'elle n'accepte rien, qu'elle allume simplement une cigarette et verse quelques gouttes de lait dans sa tasse de café.

Avec la cuiller tu te livres à de brefs mouvements giratoires qui forment des spirales, jusqu'à ce que tu constates la totale dissolution du sucre qui s'est enfoncé comme une poussière de miroir dans un puits, en silence, respectant le caractère intouchable de ce matin-silence qui commence.

Elle est finalement la première à goûter le café et sa première idée c'est que la tasse est peut-être sale. Elle lève les yeux, te regarde sans reproche à l'instant même où tu bois la première gorgée et penses que la cigarette est peut-être responsable de ce goût pour le moment inqualifiable, mais c'est elle qui le dit :

— Ce café a un goût d'échec.

Alors tu te lèves, lui arraches la tasse des mains, prends la cafetière et verses tout le liquide dans l'évier.

Le café disparaît au milieu des bulles chaudes et il ne reste plus qu'une présence sombre qui borde le fond. Tu ouvres un nouveau paquet, calcules l'eau pour quatre tasses et restes debout à attendre que goutte à goutte se forme de nouveau la ration de boue matinale.

Tu sers. Elle goûte. Te regarde avec tristesse. Ne dit rien. Tu bois ta tasse et la regardes. Maintenant c'est toi qui t'exclames :

— C'est vrai. Il a un goût d'échec.

Elle dit avec bienveillance que c'est peut-être le sucre ou le lait et tu cries que tu n'as mis ni sucre ni lait dans ta tasse.

Elle allume une autre cigarette et repousse sa tasse jusqu'au centre de la table tandis que tu sors tous les paquets de café du placard et que tu les ouvres avec la pointe d'un couteau, frénétique tu palpes la fine texture, goûtes, craches, jures, constates que tout le café de la maison a le même inévitable goût d'échec.

Elle n'en a goûté aucun mais elle le sait aussi.

Elle te le dit sans paroles. Elle te le dit de son regard perdu dans les dessins de la nappe. Elle te le dit dans la fumée qui s'échappe de ses lèvres.

Tu reviens t'asseoir en sentant quelque chose comme une brique dans ta gorge. Tu veux parler. Tu veux lui dire qu'ensemble vous avez bu beaucoup de café au goût d'oubli, au goût de mépris, au goût de haine aimable et monotone. Tu veux dire que c'est la première fois que le café a ce désespérant goût d'échec. Mais tu ne réussis pas à prononcer un mot.

Elle se lève. Va dans la chambre. S'habille lentement et le clic de son bracelet parvient à tes oreilles. Elle va jusqu'à la porte, prend ses clefs, son sac, le petit livre de voyages, pense à quelque chose avant d'ouvrir la porte, revient sur ses pas jusqu'à l'endroit où tu te trouves pour plaquer sur tes lèvres un baiser froid qui, même si tu ne veux pas le croire a le même goût d'échec que le café.

Traduction A.-M. Métailié.

En haut quelqu'un attend des gardénias

Je suis devant ta porte impeccablement habillé avec un bouquet de gardénias à la main.

J'ai l'intention de sonner, d'attendre quelques secondes et de voir apparaître ton visage dans l'encadrement avec une expression de surprise cynique, car nous savons tous les deux que tu m'attendais.

J'ai l'intention d'entrer, bonsoir, comment vas-tu, premier pas, tapis blanc, fauteuil, café, cigarettes turques sur la table, compliments pour le choix des cendriers et des abominables reproductions de Picasso.

Il y a quelque chose de martial dans le fait de chercher de l'index le tétin noir de la sonnette, d'entrer en contact avec la surface de bakélite, de la presser avec une certaine sensualité et de constater qu'on n'entend pas un son.

Le doigt répète l'opération un peu plus rapidement, il presse le bouton avec plus de force, il reste quelques secondes à le presser mais on n'entend rien. Déduction immédiate : paranoïa des fils.

Alors je recule de vingt centimètres, j'arrange mon nœud de cravate, vérifie la symétrie du bouquet de gardénias dont l'emballage commence à donner des signes d'instabilité, je plie les doigts de ma main droite dans un mouvement qui commence aux premières phalanges jusqu'à ce que la main prenne une attitude d'escargot volontaire.

Je prends de l'élan, c'est à dire que ma main recule jusqu'à être paralysée par un mur d'air qui empêche un déplacement plus large et elle s'apprête à tomber sur la surface blanche de la porte.

Lorsque la main se trouve à quelques millimètres, elle s'arrête et je pense alors à toutes les possibilités.

Il se pourrait que le bruit imprévu, toc-toc, t'effraie soudain. La terrible sensation de penser à un hôte imprévu, le pressentiment de l'arrivée d'un souvenir enfoui il y a longtemps et la possibilité que tu lâches le vase de cristal que tu as certainement entre les mains en attendant les gardénias promis.

Il se pourrait aussi que ma main prenne une force infinie et au deuxième toc traverse la porte avec un bruit d'éclats de bois qui tombent sur le linoléum, ou simplement qu'à cause des malfaçons du constructeur la porte s'effondre au milieu des protestations de tes voisins qui sortiraient dans le couloir en pyjamas soignés avec des récriminations qui me rappelleraient que c'est l'heure du repos pour les gens bien.

Au milieu de ces réflexions ma main tremble, se tord d'incertitude, il me semble sentir dans mon poignet comme une grimace d'effroi qui est au fond de la peur et de la peine pour moi-même, car cela arrive chaque fois que j'essaie de sonner à ta porte.

Alors les gardénias se fanent en quelques secondes dans leur emballage transparent et quand je passe le seuil du bâtiment, cette bouche me crache vers la solitude humide de la rue, je m'en vais la tête dans les épaules éprouvant une fois encore la honte de la défaite, et je peux t'entendre nettement, là-haut, pleurer les gardénias absents.

Traduction A.-M. Métailié.

Histoire d'amour sans paroles

C'est par l'intermédiaire de ces trucs de mode que j'ai connu Mabel, n'allez pas penser que je suis un grand amateur de style dans le vent, mais vous savez bien comme on peut parfois être gêné de nager à contre-courant, et on succombe à l'idée de mettre des pantalons un peu plus larges ou un tout petit peu plus étroits. Mais c'est de Mabel que je veux vous parler, pas de la mode. De Mabel, si loin maintenant dans une hécatombe de souvenirs et de calendriers abandonnés.

Elle était la plus jeune d'un trio de sœurs, toutes muettes de naissance et qui tenaient un petit commerce dans un quartier populaire de Santiago. Elles avaient aménagé pour leurs activités un coin du salon, encore que pour être fidèle à mon souvenir je devrais dire du living, car les Chiliens ont un living : c'est comme cela qu'ils appellent un ensemble constitué de deux fauteuils, d'un canapé et d'une table basse, entrez, entrez, asseyez-vous on va bavarder un peu dans le living, une institution quadrupède qui donne un statut indéniable à la maison.

Un grand rideau rouge isolait le living de la partie destinée à accueillir le public, et la première fois que j'ai passé cette limite j'ai eu l'impression de franchir le seuil d'un autre monde, un univers comprimé au milieu du temps, à l'atmosphère tranquille, peuplée de palmiers nains, de fougères, de lampes avec de grands abat-jour de cretonne grenat, de tables rondes et de chaises qui maintiennent le dos bien droit. En y repensant – le souvenir n'existe qu'en relation avec d'autres souvenirs – je pourrais dire que c'était une atmosphère proustienne égarée dans un quartier prolétaire. Je ne juge rien ni personne, mais j'irai jusqu'à dire que c'était une atmosphère proustienne sans ennui.

Pour gagner leur vie, Mabel et ses sœurs retouchaient des cravates et des chapeaux. Pour une bagatelle, leurs trois paires de mains prodigieuses se mettaient au travail et en un clin d'œil, la cravate voyante d'un tueur des abattoirs se transformait, elle perdait sa largeur de rame et devenait un mince ruban digne d'une griffe italienne. De plus, hommage de la maison, elles montraient au gros tueur en nage comment faire le nœud Prince de Galles, et lui expliquaient par signes que le nœud en triangle qu'il portait ne se faisait plus, ça fait ordinaire, pour ne pas dire vulgaire, voyez-vous.

D'autres arrivaient avec un chapeau à large bord, type Lucky Luciano, et en quelques coups de ciseaux adroits elles lui rendaient un tyrolien qu'aurait apprécié le chancelier autrichien. S'entendre avec elles, et en particulier avec Mabel, ne posait aucun problème.

Elles ne pouvaient pas parler avec des mots mais elles écoutaient à la perfection. Il suffisait d'élever un peu la voix, sans en venir au scandale du cri, et de bien articuler les mots, ce qu'elles ne saisissaient pas bien par l'audition elles le comprenaient avec les yeux et elles répondaient en remuant délicatement les lèvres, en soulignant avec les mains.

Dès l'abord cette atmosphère de silence me plut et je parle sans ironie. Elle me plut et je commençai à y apporter mes cravates, l'une après l'autre.

Les deux aînées avaient ces mouvements énergiques qui caractérisent les sourds. En revanche, Mabel était très douce. Elle remuait les lèvres et les mains avec la tendresse d'un bon mime, et on pouvait mesurer l'intention de ses paroles à l'éclat de son regard. Elle avait quelque chose qui m'attirait et ce n'était pas de l'amour, ça, j'en suis plus que sûr. Ce n'était rien non plus de morbide. Non. C'était de savoir que Mabel appartenait à ce monde de réalités stables et à cette permanence de temps suspendu et tellement à la portée de mes mains. Mabel, c'était l'enchantement de traverser le rideau rouge, et une fois de l'autre côté, de sentir que la vie pouvait avoir un sens, comment dire, à l'abri. C'est ça, je me sentais à l'abri de l'autre côté.

Quand j'eus épuisé mon stock de cravates, je me mis à courir les chiffonniers et à acheter les plus larges que je trouvais. J'en achetai même quelques-unes de réellement épouvantables, avec des paysages champêtres, vaches comprises, des marines, des monuments nationaux à la mémoire d'illustres vainqueurs de batailles perdues, des stars du sport, des portraits de chanteurs démodés avant même ma naissance, et que dire des vendeurs. Ils me regardaient comme un fou, un don du ciel à qui on pouvait refiler toutes les cochonneries qui se mitaient dans les vitrines.

Mabel ne mit pas longtemps à découvrir mon stratagème.

Aucun homme ne pouvait avoir autant de cravates, et encore moins ces modèles exclusifs que je proposais aux mains habiles des trois sœurs.

Un après-midi, elle me dit que je n'avais pas besoin de me ruiner à acheter d'autres cravates. Si je voulais venir la voir, que je vienne tout simplement. Elle me le dit avec la bouche, avec les yeux, avec les mains.

Ma vie changea considérablement. Je cessai d'aller au billard où je ne réussissais pas trop mal et où je m'étais fait une certaine réputation quand il s'agissait de gagner une douzaine de bières à quelque nouveau venu. L'après-midi, en sortant du bureau, je faisais un grand tour pour éviter de rencontrer mes copains et j'allais chez les muettes. Nous prenions le thé avec des petits gâteaux et nous nous entendions bien sur de nombreux sujets, comme les ragots sur les voisins, jusqu'au moment où nous allumions la radio. Là, en silence, nous absorbions les tangos aux paroles lentes et sombres d'une autre Mabel, Mabel Fernández, qui nous donnait, sur les ondes de la Radio nationale, *Une voix, une mélodie et un souvenir,* et plus tard, en buvant de discrets petits verres de vin vieux, nous suivions avec attention les histoires de *La troisième oreille.*

Les sœurs avaient un poste de radio dont Marconi lui-même n'aurait pas pu rêver. C'était un poste RCA Victor, avec un petit chien penché sur le gramophone et auquel maître Pepe, l'électricien du quartier, avait apporté quelques améliorations qui permettaient de connecter trois paires de haut-parleurs pris sur de vieux postes à galène.

Les câbles des haut-parleurs étaient courts, ce qui fait que les sœurs devaient approcher leurs têtes du récepteur en adoptant la même attitude attentive que le chien, et je m'amusais en les voyant se prendre les mains chaque fois que le méchant allait atteindre ses buts pervers, et se détendre quand le héros arrivait à toute vitesse pour sauver l'enfant.

Des histoires de gangsters dans le Chicago de la prohibition, du Far West avec Buffalo Bill comme protagoniste, les versions les plus variées de *Roméo et Juliette,* les prouesses d'Hercule Poirot et Miss Marple, Sandokan le Tigre de Malaisie, sans parler de la Semaine Sainte : Vie, Passion et Mort de NSJC et de sa bande, tout passait par le corps des trois sœurs.

Je devins vite une sorte de pensionnaire du soir et après une brève discussion les sœurs acceptèrent que j'apporte au moins le vin pour accompagner le dîner, et le dimanche, des empanadas.

Les mois passaient. Quand je prenais congé après avoir écouté *Les histoires du sinistre Docteur Mortis,* Mabel m'accompagnait jusqu'à la porte et nous restions là à regarder passer les rares autos. Je fumais un Liberty et elle prenait le frais. C'est pendant un de ces moments qu'elle m'indiqua qu'elle désirait me parler seule à seul, et qu'elle me proposa de nous rencontrer le lendemain à midi à la porte de la Lingerie allemande, où elle devait aller acheter des fournitures.

Ce que nous fîmes. Le rendez-vous avait quelque chose de clandestin et j'avais honte d'être vu par un copain. J'imaginais les commentaires au billard, les blagues que je devrais supporter le jour où j'y retournerais et surtout, j'avais peur que ça se termine par des bagarres. Je l'emmenai dans un café loin du centre, nous commandâmes un lait à la vanille et je lui dis que c'était à elle de parler.

Elle rapprocha sa chaise et de ses lèvres silencieuses me dit des mots que je comprenais très clairement dans l'éclat de ses yeux.

Elle avait beaucoup d'estime pour moi et était heureuse de m'avoir pour ami, car nous sommes amis, non ? Elle me dit qu'elle savait qu'elle était une femme laide, oui, enfin pas aussi laide que certaines, mais elle savait qu'elle était maigre et qu'elle ne savait pas marcher de cette façon qui plaît aux hommes, et elle savait aussi que je la considérais non comme une femme de plus mais comme une amie. Après quelques secondes d'hésitation, elle ajouta que j'étais le premier ami qu'elle avait.

Je lui pris les mains. Je sentis que les regards étonnés des garçons n'avaient plus d'importance pour moi.

C'était la première fois qu'elle se trouvait dans la rue avec quelqu'un d'autre que ses sœurs, et cette première fois la faisait se sentir bien. En confiance. C'est ce qu'elle ressentait avec moi. La confiance. Elle le répéta plusieurs fois. Et c'est à cause de cette confiance qu'elle voulait me demander quelque chose, et si je refusais, à cause de cette confiance notre amitié n'en souffrirait pas. Elle passait sa vie à travailler au magasin, faire des courses, de temps en temps manger une glace et une fois par mois aller payer la facture de la compagnie d'électricité. Elle avait trente-cinq ans et de sa vie entière elle n'avait fait que ça.

— Un instant. Tu n'es jamais allée à l'école, par exemple ?

Non, ses parents avaient pensé que c'était suffisamment malheureux d'avoir trois filles muettes à la maison sans en plus les exhiber aux voisins, et puis, à l'école on se serait moqué d'elles – tu sais comme les enfants sont cruels – et les établissements spécialisés sont loin et chers.

— Tu ne m'as toujours pas dit ce que tu veux me demander.

Que je la sorte un peu. Pas tous les jours, bien sûr. Je devais avoir d'autres amies, une fiancée, j'étais un garçon bien de sa personne et correct. Pas tous les jours, de temps en temps seulement. Que je l'emmène au cinéma par exemple, elle n'y était jamais allée, et en plaisantant elle ajouta que peut-être un de ces jours, je l'inviterais à aller au bal. Naturellement, je ne devais pas m'inquiéter pour les dépenses. Elle avait de l'argent et si cela me convenait, nous pourrions partager.

Je fus stupéfait.

— Tu n'es jamais allée au cinéma, au cirque, au théâtre ?

Elle fit non de la tête et resta à m'observer.

Je lui dis que bien sûr, évidemment. Que je pensais depuis longtemps à l'inviter à aller au cinéma et que c'était par timidité que je n'avais pas osé le faire. Sans lui lâcher les mains je lui dis que cette histoire de femme laide n'avait rien d'évident et je fis même la gaffe de lui dire qu'elle ne paraissait pas ses trente-cinq ans.

Elle me regarda tendrement, se pencha et m'embrassa sur la joue.

Mabel et moi. En peu de temps nous devînmes des dévoreurs de films en espagnol. Les cinémas Santiago et Esmeralda nous appartenaient. Nous ne manquions pas un film avec Libertad Lamarque, Mercedes Simone, Hugo del Carril, Amparo Argentina, Lucho Codova, ou Sarita Montiel. Les films mexicains lui paraissaient trop lacrymogènes, sauf évidemment Cantinflas, et après la séance nous nous bourrions de porc à l'avocat au Bahamondes et ensuite nous montions à Santa Lucía grignoter un cornet de cacahuètes.

Mabel n'avait jamais été une fille triste mais avec nos sorties elle devint une fille gaie.

Mabel changeait par des détails à peine perceptibles à première vue. Mabel changeait à la stupéfaction de ses sœurs aînées.

Un jour, malgré mes protestations, je dus l'accompagner chez le coiffeur et elle troqua sa raie sur le côté contre une choucroute « à la Brenda Lee », comme nous le confessa la coiffeuse, et elle raccourcit ses jupes de quelques centimètres. Un après-midi, elle cacha sa bouche derrière sa main et ne la retira que lorsqu'elle fut tout près de moi. Elle avait mis du rouge à lèvres et ses yeux avaient un éclat que je ne leur avais jamais vu.

Mabel changeait et son changement ne me laissait pas indifférent. C'est peut-être ce qui me donna l'idée de l'inviter à danser.

Santiago, dans les années soixante. Chaque samedi on avait le choix entre une vingtaine de fêtes de clubs ou de collèges. Bal au profit des orphelins. Bals en l'honneur de telle ou telle aspirante à l'élection comme reine de beauté. Bals au profit des victimes du dernier tremblement de terre. Bal au profit de nos vaillants pompiers. Bal pour le financement du voyage d'étude à l'étranger – c'est-à-dire Mendoza – de telle ou telle classe de lycée. Bals.

Je choisis un endroit où n'allaient jamais les membres de mon ancienne bande. Le Centre catalan. Une vieille bâtisse de la rue Compañia qui se distinguait par l'observation des bonnes manières et le respect des manuels de savoir-vivre exigés de tous ceux qui le fréquentaient. Mabel était heureuse. Ses sœurs, qui ne voyaient pas nos sorties d'un bon œil, travaillèrent comme des fées à la confection de sa robe. Elles passèrent une semaine entière penchées sur la Singer, pédale que je te pédale, et enfin Mabel, inoubliable.

Mabel, vêtue de gaze rose. Avec des chaussures roses et un petit sac en paillettes à la main.

Entre deux danses on buvait du punch en évitant les audacieux qui nous proposaient des bouteilles de pisco de contrebande et nous discutions du choix de notre candidate au titre de reine de la fête. Je ne lui laissais pas un moment, pas un instant de pause, pour ne pas courir le risque qu'un gaffeur vienne l'inviter. Je n'ai jamais été un bon danseur, et pour Mabel c'était la première fois qu'elle dansait. Pourtant l'orchestre attaquait un mambo et on y allait, un paso-doble, allons-y, une cumbia, allez, un tango, oui, on fait ce qu'on peut. Vers minuit l'orchestre fit une pause et fut remplacé par les disques Alcapone, et nous étions là nous aussi sur la piste avec les Ramblers, les Panchos, Neil Sedaka, Bert Kaempfer, Paul Mauriat, Adamo, enlacés, doucement bercés par la voix de châtré d'Elvis Prestley qui pleurait dans la chapelle. Mabel transpirait sous la gaze et moi je sentais la brillantine me couler dans le cou.

— Tu es jolie Mabel, vraiment très jolie, eus-je le temps de lui dire avant de sentir une main sur mon épaule.

Je pâlis, c'était Salgado, un des caïds du billard.

— Alors mon vieux. Maintenant je comprends pourquoi tu avais disparu. Tu ne disais rien. Allez, sois poli et présente-moi ta fiancée.

Je ne sus que répondre, et Salgado, habile comme toujours, me poussa de côté et prit la main de Mabel.

— Enchanté. Guillermo Salgado, Memo pour les amis. Et vous ma jolie comment vous vous appelez ?

Mabel me regardait avec de grands yeux. Elle souriait.

— Qu'est-ce qui vous arrive ma jolie ? Le chat vous a mangé la langue ou bien c'est ce rat qui vous accompagne qui l'a mordue ?

Mabel cessa de sourire et j'eus du mal à retrouver ma voix.

— Elle n'a rien. Tu t'es présenté, alors maintenant disparais et fiche-nous la paix.

Salgado me prit énergiquement par le bras. Je l'avais insulté devant sa partenaire, on ne pouvait pas en rester là.

— Dis donc, mon vieux, c'est pas des façons de traiter les amis. Si ta minette est muette c'est son problème. Y a pas de quoi s'énerver.

Je lui fis éclater le nez et ce fut une grave erreur. Salgado était beaucoup plus fort et plus corpulent que moi. Surpris moins par le coup que par le sang qui coulait en abondance et tachait son costume, il se releva et au milieu des cris me lança une droite que je ne pus esquiver et qui m'arriva dans l'œil.

On nous expulsa du bal en faisant bien attention que je sorte d'abord avec Mabel pendant qu'on s'occupait de contenir l'hémorragie de Salgado. De douloureux éclairs de lumière traversaient mon œil fermé et je ne voyais rien non plus de l'autre, noyé de larmes de rage et de honte.

Dans la rue, j'essayais de m'excuser et Mabel approchait son doigt de mes lèvres pour m'indiquer que je ne devais pas parler. Elle serrait mon bras avec force, me caressait la tête et je ne sais pas comment elle s'y prit, mais pendant que nous attendions un taxi, elle entra dans un café et revint avec un petit sac de glaçons.

Dans le taxi elle tenait ma tête sur ses genoux et le sac à glace sur mon œil fermé. Je me sentais bizarre. J'étais un preux chevalier. J'étais un membre de la Table Ronde, compagnon du roi Arthur. En définitive, je me sentais un macho et je regrettais de ne pas avoir suffisamment d'argent pour pouvoir dire au taxi : Roulez et ne vous arrêtez que lorsque je vous le dirai.

— Tu me pardonnes ?

— Chut !

La robe de Mabel était mince. Je sentais la chaleur de son corps.

— Tu me pardonnes ?

— Chut !

Son corps était tiède. Elle avait ses mains dans mes cheveux. Je sentais ses seins durs contre mon visage.

— Tu me pardonnes ?

— Chut !

Je levai le bras. Passai ma main sur son cou et attirai sa tête vers moi.

D'abord, Mabel resta avec sa bouche contre ma bouche, surprise, sans réaction, mais quand elle sentit entre ses lèvres ma langue contre ses dents, elle ferma les yeux et nous nous mîmes à chercher les coins les plus intimes de nos bouches. Nous nous embrassâmes longuement, je ne sais pas pendant combien de temps, ce que je sais c'est que nous fûmes interrompus par le toussotement discret du chauffeur. Quand je regardai la rue, le monde me parut vide et dépourvu de sens. Nous étions arrêtés à un feu rouge, dans un endroit de la ville où nous n'étions jamais allés.

— Laissez-nous ici. Ça fait combien ?

Nous marchâmes enlacés, sans échanger un seul signe de notre code secret. Tout ce que nous faisions c'était de nous arrêter de temps en temps pour nous embrasser, nous embrasser jusqu'à sentir qu'il n'était plus nécessaire de respirer.

Nous arrivâmes comme ça jusqu'à une petite place déserte. Cachés dans l'ombre d'un acacia, je l'enlaçai avec force et j'étendis une main. Je touchais ses genoux, ses jambes douces, minces et fermes. Je remontai plus haut. Ses cuisses se serraient, tremblaient. Je glissai mes doigts sous l'élastique du slip et je parcourus la surface de ses fesses dures comme la pierre, en sentant au bout de mes doigts la chatouille des poils de son pubis et la chaleur humide qui révélait son sexe. Soudain, je sentis qu'elle pleurait. Il faisait sombre et elle ne pouvait pas lire le mouvement de mes lèvres qui demandaient si elle se sentait mal. J'essayai de m'éloigner, mais Mabel m'enlaça énergiquement et conduisit avec décision ma main entre ses jambes.

Tout alla très vite. L'hôtel, l'éclairage à la hauteur des chaussures, le visage invisible du réceptionniste, les pieds de la femme de chambre qui nous donna les serviettes, le grand lit, le miroir sur le mur, la musique absurde qui nous parvenait par des orifices secrets, le téléphone inutile sur la table de nuit, les boîtes d'allumettes au nom de l'hôtel, la robe de gaze flottant sur une chaise, Mabel dans la pénombre, ses petits seins, son eau de Cologne anglaise, son gémissement étouffé par l'oreiller, ma déroute de sperme et de sommeil, puis plus tard, l'œil qui fait de nouveau mal, aiguillonné par la clarté de l'aube, le réveil dans un lit inconnu, les mains qui cherchent Mabel qui n'est plus là.

Dans le miroir je vis que mon œil était une énorme

tache bleue qui couvrait presque le tiers de mon visage. Par chance, il était tôt et le dimanche il y a peu de gens dans les rues. Je retournai chez moi en taxi, pensant qu'avec l'aide d'un morceau de viande l'œil dégonflerait et que l'après-midi je pourrais aller à la rencontre de mon monde caché derrière le rideau rouge. Mais ça ne dégonflait pas, au contraire une substance laiteuse se mit à suppurer. Je restai toute la journée au lit, dans le noir, et le lendemain je me déclarai malade au bureau. Grâce à un ami médecin qui diagnostiqua une gastro-entérite fulminante, j'obtins trois jours de congé que je passai, au milieu des compresses d'eau de moutarde, à fumer et à penser à Mabel.

Le troisième jour, l'œil retourna à son état normal et l'après-midi, avec des lunettes de soleil, je partis chez les muettes.

L'aînée des sœurs m'accueillit et comme d'habitude elle m'invita à passer derrière le rideau. Et Mabel ? L'aînée m'offrit une tasse de thé en m'indiquant que c'était du bon, du Ratampur, des petits gâteaux. Et Mabel ? Elle me répondit par signes qu'elle n'était pas là, elle était en voyage dans le sud chez des parents, elle avait eu un brusque problème de bronches et l'air de la campagne est si bon dans ces cas-là.

Ce fut un long après-midi. Les deux sœurs pendues à leurs haut-parleurs. Les tangos, le Reporter Esso, le stupide chien de RCA Victor penché sans me regarder, la version radiophonique de *L'Assassinat de la rue Morgue*. La soupe d'abattis, l'omelette au céleri, le riz, la crème brûlée, le vin vieux. Et Mabel ? Non, nous n'avons pas son adresse. Ce sont des parents éloignés. Il n'y a que Mabel qui a des contacts avec eux. Non. Elle n'a pas dit quand elle reviendrait.

Le second, le troisième, le quatrième jour, les mêmes réponses dessinées vaguement, mais dans quelle ville ? On ne sait pas. Il n'y a que Mabel qui sache. Elle n'a rien dit ? Non, elle n'a pas donné la date de son retour. Et s'il lui arrive quelque chose ? Qu'est-ce qu'il peut lui arriver ? Vous ne savez pas au moins dans quelle province ? Non, on vous a déjà dit...

Je cessai d'aller chez les muettes. Je me contentais de passer devant la boutique et à travers les clients, qui entraient ou sortaient avec leurs cravates et leurs chapeaux, je guettais la présence de Mabel.

Plus tard, je n'allai même plus jusqu'à la porte de la boutique. J'utilisais des enfants, qui pour quelques pièces, me tenaient informé. Rien. Pas trace de Mabel. Rien. Aucune nouvelle de Mabel.

Finalement, on en prend son parti. On se résigne à perdre le nirvâna. Le pire châtiment n'est pas de se rendre sans lutter. Le pire châtiment c'est de se rendre sans avoir eu la possibilité de lutter. C'est comme de jeter l'éponge par forfait de l'adversaire et même si l'arbitre lève le bras du boxeur vainqueur au milieu des bâillements, la sensation de déroute dure jusqu'à devenir résignation.

Je retournai au billard, aux tapis, à la douzaine de bières gagnée sur le premier imprudent. Salgado m'attendait et nous avons rejoué la pièce du nez éclaté et de l'œil fermé, deux, trois fois jusqu'à nous serrer la main en déclarant que l'amitié devait être comme ça, bagarreuse.

Mabel.

Avec le temps j'ai appris à oublier ses mots-yeux, la dimension de ses adjectifs-lèvres, la netteté de ses mains-substantifs. Avec le temps, le temps est passé sur mes pas et je me suis empli d'oublis qui m'ont oublié. La ville dont je viens de parler n'existe plus, ni les rues, ni la boutique des muettes, ni les cravates larges comme des rames, ni les palmiers nains, ni l'atmosphère proustienne sans décadence. Tout a disparu. La musique, la salle de bal, le chien penché vers le gramophone. Tout est perdu, je l'ai perdu. Il y a longtemps que mon œil n'est plus gonflé, mais il me reste un bleu à l'âme et quelque chose manque, Mabel, quelque chose manque et c'est pourquoi je marche dans la vie comme un insecte boiteux, un lézard sans queue ou quelque chose du même genre.

Traduction A.-M. Métailié.

Rendez-vous d'amour dans un pays en guerre

Je suis un homme honnête. J'ai peur.

José Marti

Ce soir-là j'étais content, j'avais rendez-vous. Quelqu'un à toucher, à voir à qui parler. Oublier notre pain quotidien, la mort.

La femme me plaisait. Elle m'avait plu dès que je l'avais vue dans un café de Panama City. Ce jour-là elle accompagnait l'homme massif qui nous avait donné les instructions et les mots de passe pour aller au Costa Rica et de là rejoindre, à la frontière nord, le gros de la brigade.

La femme n'avait pas parlé pendant notre conversation. Même au moment du départ elle était restée silencieuse. Une forte poignée de main, rien d'autre.

Ce jour-là Pablo était avec moi, et une fois nos contacts partis, nous avons bu quelques cuba-libres.

— Elle t'a plu, me dit-il.

— Évidemment, c'est normal, non ? Il y a toujours des femmes qui nous plaisent.

— Attention mon vieux. Il vaut mieux l'oublier.

— Je n'ai pas dit que j'étais amoureux.

— Tant mieux. N'y pense plus.

Pablo est mort quelques jours après avoir passé la frontière et je me suis réjoui de ne pas être avec lui quand c'est arrivé. Ce fut horrible, comme toutes les morts. Je l'ai appris par un communiqué de guerre et plus tard de la bouche d'un camarade qui m'a raconté les détails.

La colonne de Pablo avait réussi à avancer de plusieurs kilomètres de Peñas blancas vers Rivas. La nuit tombait quand ils ont découvert une cabane abandonnée et après une reconnaissance, ils ont décidé d'y passer la nuit. Le seul survivant, celui qui m'a raconté l'histoire, ne s'en était sorti que par un coup de chance. Le commandant lui avait donné l'ordre de monter la garde à l'extérieur de la cabane. Tout avait été très rapide. À l'intérieur ils avaient trouvé un peu de bois, mais parmi les bûches la Garde avait placé une mine. Un homme de la colonne avait voulu faire une flambée et quand il avait soulevé une bûche l'explosion les avait tous tués.

Je ne pensais pas à Pablo en allant à mon rendez-vous. Je pensais à la femme.

Il y avait maintenant des mois que je n'avais pas tenu dans mes bras un corps tiède, doux, quelqu'un qui me pose des questions, quelqu'un qui réponde aux miennes. Il y avait trop de temps que je n'avais ni donné ni reçu un peu de tendresse. Le temps suffisant pour devenir une bête, dans la guerre.

Nous étions à Rivas et c'était la troisième fois que nous prenions la ville en moins de deux mois. Il semblait que la Garde était affaiblie et nous devions passer ici une courte période avant de continuer sur Belén où nous nous séparerions pour attaquer simultanément Jinotepe et Granada.

Elle m'a parlé pendant que nous faisions la queue pour recevoir nos munitions.

— Nous nous connaissons. Tu te souviens ?

— Bien sûr que je me souviens. Je peux te dire combien de pieds avait la table du café à Panama City.

Elle rit.

— Parfois la mémoire n'est pas une bonne compagne. Il faut savoir oublier vite.

Après avoir pris nos munitions, nous sommes allés nous asseoir à l'ombre, sur la place.

— Ce doit être une jolie ville quand il n'y a pas la guerre. Une ville où on peut profiter du coucher de soleil en sentant sur son dos la brise du lac.

— C'est une jolie ville. Je suis d'ici.

— Tu as de la famille ici.

— Je préfère ne pas parler de ça.

— Ça va. Comme tu voudras...Une dernière question. Où est le camarade qui était avec nous à Panama ?

— Mort. Répondit-elle.

L'homme avait reçu l'ordre d'avancer à l'est, sa colonne devait refermer le siège autour de Bluefields. Les forces de Pastora attaquaient par San Juan del Norte, et lui connaissait bien cette zone, pour avoir combattu sept ans dans ces montagnes.

Malgré quelques escarmouches ils avaient occupé Juigalpa et de là étaient partis à Rama où la Garde leur avait tendu un piège en les obligeant à se replier sur une zone marécageuse. Après plusieurs attaques de l'aviation de Somoza, il avait été pris avec quelques rares survivants. Ils avaient été écorchés vifs avant d'être achevés.

— Je regrette, c'est tout ce que je réussis à dire.

— Moi aussi. Même si nous ne vivions plus ensemble, me dit-elle calmement.

— Tu es seule ?

Sans dire un mot elle me fit comprendre que oui et quand je lui caressai le visage elle ferma les yeux.

Le soleil tapait fort quand j'arrivai à mon poste et c'était tant mieux. Sinon ces insupportables moustiques m'auraient rendu fou.

C'était une chambre en tôles dont la Garde s'était servie pour mettre les prisonniers au secret. Nous l'utilisions de la même façon et à l'intérieur il devait faire une chaleur étouffante.

Je devais surveiller le prisonnier qu'on allait juger le lendemain. Tout ce que je savais de lui c'est que c'était un mouchard, un informateur de la Garde et qu'à cause de lui beaucoup des nôtres étaient tombés, beaucoup d'autres aussi pour la simple raison qu'ils vivaient à Rivas. Je posai mon fusil contre le mur de tôles et je m'assis sur le sol caillouteux. J'avais soif et, en faisant attention que personne ne me voie, je sortis la bouteille de rhum de la poche de ma chemise.

L'alcool était interdit aux combattants, enfin, formellement interdit, mais il y avait toujours moyen de se procurer quelque chose à boire. Il était bon le rhum nicaraguayen. Fort et un peu doux, avec un goût de canne qui restait longuement sur le palais. J'aimais le rhum, mais je n'aimais pas être là. La bouteille était presque vide. C'était une de ces bouteilles plates que les gens des villes tranquilles emportent aux courses de chevaux ou en voyage. Non. Je n'aimais pas être là, à surveiller le prisonnier et à rêvasser à propos de la bouteille.

Assis là, je pensais que j'aimerais être chez Manolo, ce café du début de l'avenue Amazonas à Quito.

On était bien là-bas. On pouvait s'asseoir à une table sous un parasol avec une réclame pour Camel, boire un whisky avec de la glace et rester des heures à lire le journal. Parfois une connaissance s'approchait et demandait depuis le trottoir :

— Alors ? Qu'est-ce que tu fais ce soir ?

— Je ne sais pas. Je n'ai pas de programme.

— Formidable. Alors on se retrouve chez Charpentier, ou plus tard à l'Ours polaire.

— D'accord. À tout à l'heure.

On mangeait bien chez Charpentier et l'Ours polaire était une gargote fréquentée par des chanteurs et des toreros sur le retour. C'était un bon endroit pour finir la nuit en buvant un coup de rhum.

J'allumai une cigarette et l'homme se mit à me parler.

— Tu peux m'en donner une, mon frère ?

Je maudis le flair de ce type. Il m'en restait peu et qui sait si je trouverai de quoi fumer quand elles seraient terminées. Mais on ne peut pas refuser une cigarette. Moi aussi je connais la prison et je sais comme cela donne envie de fumer. De plus c'étaient ses dernières heures.

— Tiens.

Je lui fis passer une cigarette allumée sous la porte.

— Merci mon frère.

— Ne m'appelle pas mon frère.

— Nous sommes tous frères. Caïn et Abel étaient frères.

— Tais-toi !

Le prisonnier ne parla plus et c'était mieux comme ça.

Je pensais à la femme. Nous avions mangé ensemble à midi. Elle m'avait emmené dans une maison où on entrait par un trou d'obus. Dedans il y avait deux vieilles édentées qui souriaient avec malice en me regardant.

— Il n'est pas d'ici le compadre, commenta l'une.

— Non. D'un peu plus au sud, lui répondis-je.

Elles préparèrent des tortillas et un petit pot de haricots. Elles nous laissèrent seuls.

— Dommage qu'on n'aie que de l'eau à boire.

— Moi, j'ai soif, répondis-je en sortant mon reste de rhum.

— Tu peux boire du rhum en mangeant ?

— Non. Mais de l'eau non plus. Ça me donne des parasites.

— Attends, je crois qu'il reste un peu de café.

Pendant qu'elle se penchait sur le réchaud je la pris par la taille. Je sentis son dos contre ma poitrine et je l'embrassai sur la nuque.

— Attention. Les vieilles peuvent revenir.

— Et alors ? On est censé faire la révolution pour être libre. Toute cette sale guerre c'est pour ça non ?

— Tu ne comprends pas.

— Qu'est-ce que je dois comprendre ?

Elle m'embrassa et me fit promettre de revenir à la nuit tombée.

Le soleil continuait à taper fort. De temps en temps je pensais au prisonnier qui cuisait là-dedans et je chassais immédiatement cette idée de mon esprit. Ce n'était pas mon affaire et je n'aimais pas être là. Je maudissais cette guerre dans laquelle j'étais volontaire, cette maudite guerre qui se prolongeait toujours plus, plus qu'on ne l'avait pensé. Je finis par lui parler.

— Tu veux fumer ?

— Si tu m'invites, mon frère.

— Je t'ai dit de ne pas m'appeler mon frère.

J'allumai deux cigarettes et je lui en passai une sous la porte.

— Merci, mon frère.

J'éclatai de rire.

— Ça va, mon frère. Tiens ! Je lui passai la bouteille dans le rai de lumière entre la porte et le sol. Bois un coup, mais pas tout.

— Merci, mon frère mais je ne bois pas.

— Et on peut savoir pourquoi, mon frère.

— Parce que je suis évangéliste, mon frère.

— Va te faire foutre !

Ma chemise collait et mes bottes me torturaient comme d'habitude. J'essayais de penser à autre chose, à d'autre endroits pour ne pas sentir la chaleur du soleil. Je pensais par exemple comme ce serait bon de prendre un bateau et de ramer jusqu'aux îles Solentiname, mais c'était un peu absurde. La Garde patrouillait sur le lac, jour et nuit, et depuis les bateaux les tireurs avaient une précision démoniaque. Je tournais mes pensées vers le Costa Rica et le petit coin européen qu'Esteban m'avait montré un jour à quelques kilomètres de Moravia. C'était un demi-hectare de bois traversé par un ruisseau à truites. Dès qu'on pouvait on y allait pêcher et on se régalait de truites frites et de vin chilien, à l'ombre des arbres touffus.

— Mon frère...

— Qu'est-ce que tu veux ?

— Quand est-ce qu'on va me fusiller ?

— Je ne sais pas, on ne te l'a pas dit ?

— On ne m'a rien dit, mon frère. Mais ça ne fait rien. Je sais qu'on va me fusiller bientôt, et je le mérite.

— Putain ! Si tu veux te confesser, je vais t'appeler un curé.

— Non, mon frère, merci. Je t'ai dit que je suis évangéliste.

Ce type devait être cinglé. Peut-être que son cerveau était cuit. Je ne l'avais jamais vu, mais au timbre de sa voix c'était un homme jeune.

— Tu sais pourquoi je suis ici, mon frère.

— Parce que tu es un mouchard.

— D'accord. Mais c'est par amour.

— Par amour ? Par amour tu as dénoncé et envoyé à la mort des dizaines de gens. Tu as une drôle de conception de l'amour.

— Parfois l'amour et la haine se confondent et personne ne peut nous montrer la différence. Ne me hais pas, mon frère.

— Je ne te hais pas. Et pour l'amour du ciel ne m'appelle pas mon frère.

Cette conversation avec le prisonnier me mit de mauvaise humeur et pour comble la bouteille était vide. Le crépuscule arriva apportant un peu de brise du lac et, pour moi, la relève.

— Du nouveau ?

— Rien !

— Si tu te dépêches, tu peux manger du porc.

Et comment que je me suis dépêché. Il y avait des semaines que je n'avais pas goûté un morceau de viande. J'étais en train de manger lorsqu'un homme portant des galons de commandant s'assit à côté de moi.

— C'est bon ?

— Passable, à l'Intercontinental on mange mieux.

— Sûr. On vérifiera ça en arrivant à Managua.

— On verra.

— Tu gardais le prisonnier ?

— Oui, tout l'après-midi.

— Il t'a parlé ?

— Pas un mot.
— C'est un vrai fils de pute, je t'assure, mon frère.
— Bien sûr, mon frère.
Après le souper j'ai essayé de trouver des cigarettes et j'ai eu de la chance. Le kiosque de la place était ouvert et éclairé comme si la guerre était très loin d'ici, et on m'a non seulement vendu des cigarettes mais une bouteille de rhum et un pot de jus de mangue. Bien ravitaillé, mon humeur s'est améliorée et j'ai bu une bière glacée avec deux combattantes. Étrangement la guerre disparut dans la nuit étoilée et les femmes parlèrent de l'avenir avec une désinvolture qui me surprit d'abord, puis finit par m'écœurer. Elles étaient odieusement optimistes, et je me suis toujours méfié de ce genre de gens. J'ai appris de Pablo qu'à la longue ils portent malheur.

L'obscurité me décida à porter mes pas vers la maison des vieilles. L'une d'elles me reçut avec un petit rire malicieux.
— Ah, notre ami du sud est revenu.
— Oui, je suis revenu.
— Entrez, entrez, vous êtes attendu.
La vieille disparut sans arrêter son petit rire. À l'intérieur la femme était en train de suspendre une moustiquaire au-dessus du hamac.
— Comment s'est passé ton après-midi ? demanda-t-elle.
Dans un meuble je trouvai deux verres et je préparai du rhum avec du jus de mangue.
— Mal. J'étais de garde du prisonnier.
— Ah.
— Tu le connais ? On m'a dit qu'il est d'ici, lui aussi.

— Je préfère ne pas parler de ça.

— Tu as raison. Ne parlons pas de lui. Tiens. On peut dire que c'est un cocktail équatorien. Tu aimes les cocktails ? Si on arrive vivants à Managua, je t'invite à boire un martini-dry et je te laisserais manger mon olive, je te le promets.

En lui tendant son verre je la pris par la taille, et en essayant de l'embrasser je m'aperçus qu'elle pleurait.

— Tu peux me dire ce qui se passe ?

— Rien, il ne se passe rien.

— Rien ? Écoute, que les choses soient claires. Je veux être avec toi, tu comprends ? Tu me plais et je veux être avec toi cette nuit. Ni toi, ni moi ne savons ce qui va arriver demain. Tu comprends. La seule personne qui connaît son avenir dans cette maudite ville, c'est le prisonnier, il sait qu'on va le tuer avant le lever du soleil. J'en ai marre de cette maudite guerre et je ne désire rien d'autre qu'être avec toi, mais si c'est possible avec un peu de joie. Tu peux comprendre ça ? Maintenant si tu veux que je me tire, dis-le et on n'en parle plus.

J'avais envie de m'en aller mais la femme m'a retenu.

— Ça va assieds-toi là, à côté de moi. Toi aussi tu me plais. Tu me plais depuis notre première rencontre, même si nous ne nous sommes rien dit. Moi aussi je suis fatiguée et ce qui peut arriver demain m'est égal. Moi aussi je veux être avec toi cette nuit, mais avant il faut que je parle, il faut que je parle à quelqu'un, pardonne-moi de me servir de toi. Mais c'est comme vomir, ce que je vais te dire ce sera comme vomir, mais parfois il faut vomir ce qui nous pourrit à l'intérieur. Écoute-moi sans m'interrompre. Je te répète que c'est comme vomir. Cet homme, le prisonnier, c'est mon mari. C'est encore mon mari. Je ne l'aime pas, je ne l'ai jamais aimé. C'est un pauvre diable qui n'est même pas assez intelligent pour être méchant. Je l'ai quitté il y a quatre ans. J'ai rejoint la lutte et je suis partie avec le camarade que tu as connu à Panama. Quand je l'ai fait, le prisonnier, mon mari, est devenu fou et s'est mis à dénoncer tous ceux qu'il pensait être des alliés du Front. Aujourd'hui je l'ai revu pour la première fois depuis quatre ans, et tu sais ce qu'il m'a dit ? Qu'il avait fait tout ça par amour, par amour pour moi. Tu te rends compte ? Tu comprends ce que je ressens ?

— Il m'a dit la même chose, ai-je réussi à dire lorsque les coups de feu ont résonné et la femme m'a regardé avec des yeux rougis de veuve.

Traduction A.-M. Métailié.

Façons de voir la mer

La voiture prit le tournant à plus de 90, les roues laissèrent échapper un gémissement de caoutchouc et la femme se cramponna à son siège sans perdre son expression d'ennui.

— Bon Dieu, qu'est-ce qui t'arrive maintenant ?

— J'ai envie de pisser.

— Ça ne peut pas attendre la prochaine station-service ?

— J'aime pisser en plein air.

Après avoir quitté la nationale, la voiture prit un chemin étroit et disparut peu après sous les arbres.

— Ici, c'est bien, dit l'homme.

Il arrêta le véhicule, éteignit le moteur, ouvrit la portière et marcha parmi les arbres.

La femme le regarda avancer, s'arrêter, porter les mains à sa braguette, écarter les jambes et elle vit le jet d'urine tomber entre ses jambes.

C'était le premier acte conséquent que l'homme faisait depuis longtemps. Il avait manifesté le désir d'uriner et il l'avait fait. C'était déjà quelque chose.

Ils étaient en voyage depuis deux jours. Sur le siège arrière de la voiture il y avait : une carte d'Espagne, un chevalet, trois toiles vierges, des carnets de croquis, une boîte de crayons et une boîte de peinture avec des pinceaux. Il y avait aussi une bouteille de cognac achetée à une halte.

Le véhicule était inconfortable, trop fonctionnel, impersonnel comme toutes les voitures de location, mais l'homme s'en moquait. En réalité, il avait l'air de se moquer de tout.

Trois semaines auparavant la première neige était tombée sur Stockholm et la femme l'avait trouvé dans son atelier, à quatre pattes en train de nettoyer le poêle à charbon. Des verres et des tasses sales, des bouteilles vides et des toiles étaient empilées partout. L'air vicié poussait à ouvrir tout grand les fenêtres.

— Tu n'as pas travaillé, dit la femme, en guise de salut.

— Pour quoi faire ? Je n'aime pas ce que j'ai. En réalité je n'ai rien. Si je montre ces merdes, l'exposition sera un échec.

— Ce n'est pas ce que pense le directeur de la galerie. Il aime tes tableaux, c'est pour ça qu'il a programmé ton exposition et il ne te reste que deux mois.

— J'ai besoin de voir la mer. La mer. Quelle merde ce poêle.

— Mais regarde par la fenêtre, elle est là !

— Je parle de la mer. De la vraie mer. La Baltique est un puits de pourriture. Tout est mort. Ce n'est pas la mer ça, dit l'homme en se redressant.

Elle lui enleva la pelle et la brosse des mains. S'agenouilla et en un instant le poêle était propre et le premier charbon de l'hiver brûlait. Ensuite elle se leva et ouvrit la fenêtre en précisant que l'air aiderait au tirage.

Dehors il neigeait doucement, des flocons gros comme des plumes de cygne tombaient, et la femme se dit qu'elle devrait s'en aller pour de bon, définitivement, s'en aller et le laisser pour toujours. Elle savait qu'elle ne l'aimait plus et que seul un reste d'affection l'obligeait à rester auprès de lui, lui en faisait un devoir.

Après l'exposition ce serait différent. Elle pensait disparaître sans explications ni adieu. Il y avait assez longtemps qu'elle projetait une solitude désirée à Oslo, devant une cheminée, bien emmitouflée, à boire du vin rosé en lisant tous les livres qu'elle voulait lire. De l'autre côté de la fenêtre, la Baltique ressemblait à un foulard ondoyant et elle sentit tout d'un coup que c'était à elle que s'adressait l'insulte faite à cette mer.

L'homme s'approcha. Il lui caressa la tête et se mit à l'embrasser dans le cou. La femme se retourna et, quand il lui fit face, elle sentit son haleine fétide, mélange d'alcool et de tabac.

— Laisse, je n'ai pas envie, murmura-t-elle.

L'homme posa ses mains sur ses épaules et les descendit en parcourant son corps. En arrivant aux genoux il passa les mains sous sa jupe et remonta en lui caressant les cuisses.

— Je t'ai dit que je n'ai pas envie, répéta-t-elle, choquée, mais l'homme la renversa en la tenant par la taille. Il tomba sur elle et, par terre, avec des gestes bestiaux il lui enleva ses bottes, son collant et son slip.

— Lâche-moi ! cria la femme et l'homme se laissa glisser sur le côté. Il tenait le slip blanc entre ses mains, il l'observa longuement et le posa sur son visage comme un masque.

— Je veux voir la mer. La mer, dit-il et il s'éloigna pour contempler son masque dans le miroir.

Ils arrivèrent à Madrid et louèrent une voiture à l'aéroport. Dans les jours précédant le voyage, l'homme avait décidé qu'ils iraient à Cadix en faisant le tour par le Portugal, et elle avait pensé que cela lui ferait peut-être du bien, que la présence de la mer telle qu'il l'aimait lui rendrait l'envie de travailler.

À Salamanque, après le dîner, elle lui posa des questions sur Cadix, mais tout ce qu'elle réussit à apprendre c'est que Rafael Alberti en était originaire. Ensuite l'homme tomba dans un abîme de silence en cherchant péniblement quelque chose au fond de son verre.

— Et maintenant qu'est-ce qui t'arrive ?

— Rien. Demain nous irons vers le nord.

— Cadix est au sud.

— Je ne veux pas aller à Cadix.

— Et la mer ? Tu ne voulais pas voir la mer ?

— Pas la Méditerranée. Je veux voir une mer, mer. Et puis il y a des choses que je n'aime pas.

— Lesquelles ? Dis-le moi s'il te plaît. Arrête de jouer avec moi.

— Je n'aime pas la cuisine andalouse, indiqua l'homme et il commanda une autre bouteille de vin.

Deux heures plus tard, elle l'attendait au lit et contre son attente l'homme se montra loquace.

— Demain je vais voir la mer. C'est très important pour moi de voir la mer. Je veux sa lumière, son éclat. Tu comprends ? Je veux montrer des choses nouvelles, pas toujours les mêmes merdes que tout le monde peint.

— Tes tableaux sont bons.

— C'est ce que pensent ces imbéciles de Scandinavie et d'Allemagne. Ils n'ont pas d'yeux. Ils regardent avec leurs poches. Tout ce que j'ai peint c'est de la merde, des objets de décoration pour intérieurs de riches crétins.

— Mais c'est de ça que tu vis et pas mal. Pourquoi tu me tourmentes ? J'ai fait tout ce que j'ai pu pour que tu exposes, parce que tu le voulais. Tu rêvais de cette galerie, la meilleure de Stockholm, et maintenant que tu l'as, tu as l'air de dire que c'est ma faute.

— Ne sois pas stupide. Je veux montrer des choses neuves, c'est tout. La colère te va bien, tu sais. Un jour je ferai ton portrait.

— Pourquoi pas maintenant ?

— Maintenant ? Non. Je ferai ton portrait quand tu seras vieille, avec des rides, avec la vie sur ton visage, avec des sillons immobiles, comme la mer. Et avec des cheveux blancs. Telle que tu es maintenant, tu ne me livres rien, juste une beauté parfaite.

— Merci, c'est le compliment le plus doux que j'aie jamais entendu.

Le lendemain ils quittèrent Salamanque de bonne heure. L'homme insista pour éviter les routes nationales, pour prendre les chemins étroits et sinueux, se désespérant en voyant qu'ils débouchaient sur des routes plus grandes et accélérant alors comme pour fuir un danger.

« Macho de merde. Macho de merde. Je vais voir ton triomphe parce que tu vas triompher. Tu y es condamné. Ensuite tu n'entendras plus parler de moi et tu pourras rester seul avec ton instinct, c'est tout ce que tu as. »

L'homme s'approcha en refermant sa braguette.

— On continue ? interrogea la femme.

— Non. J'aime tout ça. Regarde les fougères. Regarde ce vert délicat. Regarde l'harmonie avec la mousse, avec les feuilles mortes. Donne-moi mon bloc et les couleurs, il y a là quelque chose de ce que j'ai toujours cherché.

Elle lui donna le matériel et, allongée dans l'auto, le regarda s'éloigner de quelques mètres, s'accroupir le bloc sur les genoux, fouiller dans la boîte de crayons.

« Ah bon, on dirait que ça va mieux. L'animal artiste est dans son élément. »

Les pensées de la femme n'eurent pas le temps d'atteindre le sentier de l'optimisme, car deux mètres plus loin, l'homme déchirait le bloc et d'un coup de pied jetait la boîte de couleurs dans les broussailles.

— Merde, je suis venu voir la mer et je m'amuse comme un crétin en oubliant que je suis venu voir la mer.

Il restait peu de lumière du jour et une brise froide se coulait dans les feuillages. Tous les tons de vert s'amalgamaient en un gris uniforme et l'aimable odeur du bois qui brûle arrivait jusqu'à eux.

— Alors, on continue ? demanda la femme.

L'homme but une gorgée de cognac et démarra.

— Tu sais où on va ?

— À la mer

— Tu sais au moins où nous sommes ?

— Dans les Asturies

Ils poursuivirent le voyage en silence. Quand l'obscurité fut complète et qu'on ne put plus voir le chemin, alors seulement l'homme alluma les phares.

Dans un virage le faisceau lumineux éclaira un édifice de bois sur pilotis. La lumière agressive baigna des centaines d'épis de maïs dont les grains brillèrent comme des pépites d'or polies.

L'homme freina et la femme se cramponna à la boîte à gants.

— Et maintenant ? Tu veux me tuer ?

— Regarde. Il est impossible d'obtenir cette lumière, tu sais ? C'est impossible. Elle est anti-naturelle, profanatrice, belle.

— Essaye.

— Essayer quoi ?

— Peins ça. Une grange la nuit.

— Ce n'est pas une grange, c'est un *horreo*, un silo.

— Comment tu le sais ?

— Ça vient du latin. J'ai connu là-bas beaucoup d'Asturiens qui sont arrivés après la guerre civile.

La femme voulut dire : « Peins ça, un *horreo* dans la nuit », mais l'homme avait prononcé ce « là-bas » sur le ton déchiré qui annonçait les pires crises, et elle préféra se taire. Maudit « là-bas » des comparaisons hors de proportions. Maudit « là-bas » des cuites et des tangos. Maudit « là-bas », territoire de l'instinct.

Ils suivirent le chemin étroit, s'arrêtant parfois pour laisser le passage à un écureuil effrayé ou un rat aux yeux saillants, le faisceau des phares violant l'intimité des bois, des maisons aux gros murs, d'autres *horreos*, réunis dans la bulle qui entourait le grand silence nocturne.

Quand ils entrèrent dans Villaviciosa ils trouvèrent les rues vides. Le froid enfermait les gens chez eux ou dans les bars tièdes de voix. Il ne leur fut pas difficile de trouver un hôtel, et une fois installés, l'homme décida qu'ils devaient boire un apéritif et se dégourdir les jambes.

Ils marchèrent. La solitude des rues, à peine brisée par le pas pressé de quelque femme ou par la course d'un enfant, donnait aux pas du couple un écho uniforme, car la solitude finit par tout rapprocher, comme les cèpes se rapprochent silencieusement des champignons vénéneux.

La femme marchait devant. Les mains dans les poches de son anorak, elle cherchait des indices de la proximité de la mer, mais elle ne trouvait que des données historiques et, sur les façades de vieilles maisons à la beauté irréelle, des rectangles de pierre racontaient l'âge pétrifié des fondations.

L'homme la rejoignit sur la place.

— Entrons boire un cidre.

— Avec ce froid ?

— Tu vas aimer. Entrons.

Quand elle poussa les portes battantes, la femme eut l'impression d'entrer dans un endroit inondé. Trois hommes chaussés de bottes de caoutchouc pataugeaient au milieu des clients.

L'homme commanda une bouteille et s'installa au bar. La femme vit alors le rituel de l'échanson. D'une main il plaça le verre incliné presque à mi-cuisse et de l'autre il leva la bouteille au-dessus de sa tête. Le liquide sortit comme un jet de miel, décrivit un arc parfait et heurta le bord du verre. Le rituel ne dura que quelques secondes et la femme comprit la raison des bottes en caoutchouc.

L'homme but avec plaisir, les yeux fermés, et quand il ne resta qu'un fond de verre, il le jeta sur le sol mouillé d'un air absent. La femme sut qu'une fois de plus il n'était pas là, qu'il ne restait de lui qu'un résidu corporel, un espace occupé, elle sortit du bar sans rien dire.

Dans la rue elle se réjouit de ne pas désirer que l'homme la retienne. Elle marcha. Elle dîna dans un restaurant proche et se dirigea ensuite vers l'hôtel.

« Ça suffit. Il ne me déteste même pas. Il ne sent rien. Pauvre homme. Il n'est ni ici ni à Stockholm, ni dans son là-bas. Pourquoi n'ai-je pas compris que l'idée de voir la mer, l'obsession de voir la mer, n'était qu'une justification pour chercher les ombres qui le poursuivent ? Et il les recherche avec désespoir, car il ne se rappelle même pas leur forme. Pauvre homme. Pauvre amour. Pauvre artiste. Pauvre amour. Et je ne l'aime plus. Cette certitude me sauve. Je ne peux pas l'aimer. Personne ne peut aimer un malade sans se mentir. Personne ne peut ignorer le mot compassion indéfiniment. Et quand enfin il s'impose, on a honte d'avoir avili le véritable amour. Pauvre homme. Je renonce et je ne te laisse rien, même pas la solitude que tu cherches avec tant d'acharnement. Recherche inutile, car des haillons de souvenirs brouillent ta vue et ne te laissent pas l'atteindre. Pauvre homme. Pauvre amour. Je te laisse et tu ne t'en rendras pas compte. Je serai une absence de plus et comme tu es si plein d'absences, tu ne percevras pas la mienne. Et le plus triste c'est que je sens que je te comprends. Je suis pour toi l'absence des femmes que tu as aimées ou de celles que tu as voulu aimer. Je suis pour toi l'objet d'une passion désespérée. Pauvre homme. Pauvre amour. Tu sais ce que tu cherches dans la mer ? La fragile certitude qu'il existe un autre bord où tes défaites continuent à t'attendre. Tes défaites, la seule chose que tu aimes. La seule chose que tu aies. Pauvre homme. Pauvre amour. Je te quitte. Demain je retourne à Stockholm, je réglerai tes affaires, j'arroserai tes plantes, et je laisserai la clef dans la boîte aux lettres. Ensuite j'irai à Oslo me soûler pendant des jours avec la satisfaction de pleurer librement et le droit d'espérer. Pauvre homme. Pauvre amour. Je te laisse et pourtant je veux encore t'aider. »

La femme se découvrit en regardant sans le voir l'écran de la télévision allumée. Il était presque minuit et, maudissant sa vocation samaritaine, elle partit à la recherche de l'homme.

Elle ouvrit la porte du bar et le trouva toujours accoudé au comptoir, une longue file de bouteilles vides devant lui. Elle s'approcha et le prit par les épaules.

— Tu aimes ? dit l'homme.

Il lui indiqua une feuille de papier collée sur le miroir. Elle reconnut son trait. C'était un dessin montrant le rituel de l'échanson, mais le jet ne tombait pas dans le verre, il tombait par terre.

— C'est pas mal. Très symbolique.

— Va te faire foutre avec tes symboles. Tu vois ? C'est pour ça que je veux voir la mer. J'en ai assez des interprétations. Tu sais pourquoi le cidre tombe par terre ? Parce que ma main a tremblé. Parce que j'ai dessiné avec ces stylos ignobles. Il n'y a pas d'autre raison, il n'y a pas de symbole, rien de rien.

— Comme tu voudras. Tu veux manger quelque chose ?

— Asseyons-nous. Une autre bouteille s'il vous plaît.

Ils prirent place à une des tables et l'homme commença à dessiner avec un doigt sur la surface mouillée. Il avait les yeux perdus et la voix pâteuse.

— Allons-nous-en. Tu as assez bu.

— Je ne boirai jamais assez. Trop peut-être, jamais assez.

— Excuse-moi. Je vais corriger mon espagnol. On s'en va ?

— J'ai demandé une autre bouteille. Va-t-en si tu veux.

— Très bien. Bois ce que tu veux. Je suis venue te dire que je m'en vais. Je pensais le faire demain, mais il vaut mieux que ce soit aujourd'hui. Tu m'entends ? Je m'en vais. Je retourne à Madrid et de là à Stockholm. Évidemment je prends la voiture ; tu me pardonnes mais c'est moi qui l'ai louée, et comme tu le sais je suis responsable. C'est mon problème. Ce n'est pas la peine que tu le dises. Tu es d'accord ? C'est ce que tu désirais ? Je te laisserai à hôtel l'argent que j'ai changé, je n'en ai pas besoin. Tu m'écoutes ? Tu comprends ce que je te dis ?

L'homme restait la tête penchée sur la table à suivre les déplacements de son doigt sur la surface. Soudain il ferma le poing et effaça tout.

La femme tendit le bras et le prenant par le menton l'obligea à la regarder.

— Je m'en vais. Tu ne me reverras jamais. C'est fini. Tu comprends ?

L'homme écarta la main, voulut dire quelque chose, mais l'échanson s'approcha.

Alors l'homme se leva avec des mouvements maladroits, traîna sa chaise près de la sienne et ordonna à l'échanson de servir.

La bouteille s'éleva, s'inclina en atteignant la hauteur adéquate et le jet de cidre décrivit un arc doré à la recherche du bord assoiffé du verre.

— Tu la vois ? demanda l'homme.

— Qu'est-ce que tu veux que je voie ? Mon Dieu, qu'est-ce que tu veux que je voie ?

— Un autre s'il vous plaît.

L'échanson prit le verre et s'apprêta à accomplir de nouveau son rituel.

L'homme mit son bras sur les épaules de la femme, et au moment où le jet volait, il lui indiqua un point invisible sous l'arc de cidre.

— Tu la vois ? Là, comme dans les contes. Quand on traverse l'arc d'entrée du temple des rêves, là, là est la mer.

Traduction A.-M. Métailié.

« Viens, je vais te parler de Pilar Solorzano »

Le livre m'attendait dans un coin chez un bouquiniste de Prague. C'était mon dernier jour dans cette ville, où je venais de participer à un hommage à Jaroslav Siefert, et comme on ne peut trouver l'œuvre de Siefert ni dans les études ni dans les discours laudateurs, je décidai de consacrer ces dernières heures à une promenade aux alentours de Saint-Wenceslas en rêvant à l'origine de ces rues étroites, qui semblent créées par les désirs du poète.

Le froid m'obligeait à marcher à demi courbé, les mains dans les poches, en cherchant la chaleur des petites boutiques d'artisans et d'antiquaires. Le livre m'attendait dans une vitrine, et son premier signal fut de me sauter aux yeux dans ma propre langue. On n'est pas habitué à trouver des livres en espagnol dans les pays d'Europe de l'Est et encore moins chez les bouquinistes.

C'était un livre très mince. Reliée en toile écarlate, sa couverture était ornée d'un filet doré, décoloré par endroits, qui entourait deux filigranes, dorés aussi, dont les volutes capricieuses se terminaient en chardons et autres fleurs qui rappelaient les tableaux de Jérôme Bosch.

Dans le haut de la couverture, au milieu des filigranes un ovale horizontal entourait la légende : Bibliothèque pour la jeunesse. Au centre, dans une sorte de parchemin à demi déplié, le titre : *Histoire de la machine à vapeur*. Et tout en bas en gros caractères, la maison d'édition : Garnier frères, Paris.

Je ne crois pas être cynique, mais je sais qu'il m'est donné à vivre à une époque qui considère la naïveté comme une cause perdue et où le hasard apparaît comme un succédané de la volonté. Tout a l'air organisé à l'avance et nous perdons lentement la capacité de nous laisser surprendre et d'accepter la possibilité de l'inattendu. Mon programme pour cette matinée comprenait une promenade dans Prague, puis aéroport et le soir dîner à Barcelone avec mes amis. Mais le livre à la couverture écarlate contenait un appel et ignorant l'époque, je poussai la porte de la librairie.

Le tintement délicat des baguettes métalliques annonça mon entrée. La boutique était étroite et faiblement éclairée. Elle sentait le renfermé, le chat qui pisse sur des siècles d'érudition et de mystère, le papier, la poussière, les molécules de temps déposées sur ses rayonnages. Par la porte du fond, peut-être celle de l'appartement, sortit un vieil homme tout emmitouflé.

Je lui dis en allemand que je désirais voir le livre de la vitrine et lorsque je le lui montrai, le vieil homme sourit avant de me parler avec un accent très doux et étrangement familier, un accent aussi ancien, peut-être plus, que ses livres : c'était un Juif séfardi, et il avait l'air heureux de pouvoir parler en ladino.

— Ah ! le livre en espagnol, que d'années dans cette vitrine ! dit-il en me le tendant.

L'intérieur de la reliure était protégé par un papier ocre et la première page était de cette couleur. En voyant l'écriture libre de la dédicace, ces traits qui ne cherchaient évidemment pas un effet de surprise, je me rendis compte que je n'avais pas à aller plus avant dans la lecture pour comprendre l'appel silencieux que me lançait ce livre depuis sa prison.

Je ne peux pas définir avec précision ce que je ressentis en parcourant ces mots écrits à l'encre, peut-être bleue, et qui se fondaient maintenant dans la couleur brumeuse de la page. Ou peut-être le puis-je un peu : je sentis de la compassion pour un vieux à la barbe clairsemée, mort il y a trente ans et que j'ai aimé et accompagné au long de lointains après-midi chiliens de silence épais.

Les souvenirs qui se pressaient durent donner à mon visage une expression inquiétante, car le libraire me prit le bras, me conduisit jusqu'à une chaise et m'offrit un verre d'alcool.

Je m'entendis murmurer : Pilar Solorzano a existé.

— Ne t'angoisse pas. Tout est possible dans les livres, indiqua le vieux.

Je fus reconnaissant au libraire de comprendre mon étouffant besoin de parler et je commençai à raconter tout en relisant encore la dédicace.

« Je dédie ce livre à Genaro Blanco en hommage à ses rêves et à tout ce qui nous unit. Pilar Solorzano, 15 août 1909.

— Genaro Blanco, don Genaro. C'était le nom d'un vieil Andalou plein de rêves que ma famille avait adopté un jour comme un parent de plus. Selon ma mère, elle en était à son cinquième mois de grossesse lorsqu'il était entré dans le salon de la maison portant une valise déglinguée, un parapluie noir et soutenu par le bras de mon grand-père.

« C'est Genaro, mon camarade et mon frère. Il vient de perdre sa compagne et il croit qu'il est seul. Nous allons lui montrer que dans la grande fraternité des hommes libres on n'est jamais seul. Sois le bienvenu, camarade. Partage avec nous le vin, le pain et la tendresse » dit, raconte-t-on, mon grand-père en lui montrant sa place à la table familiale.

« Je vous souhaite à tous santé et anarchie » répondit, dit-on, don Genaro, si bien que lorsque je vins au monde quatre mois plus tard, j'eus deux grands-pères espagnols et un grand-père chilien.

Au contenu de sa valise, peu de linge et beaucoup de papiers qu'il consultait patiemment, mes parents apprirent que, comme mon grand-père, il était ennemi de tous les gouvernements et qu'il avait couru le monde avant de finir comme un anarchiste pittoresque et hors du temps dans la rigoureuse légalité de la société chilienne.

Je sais peu de choses de lui car il est mort lorsque j'avais douze ans et il a passé ses dernières années plongé dans de longs silences que ma famille a interprétés comme la dépression normale d'un aventurier à la retraite ou des crises de sénilité sans gravité aucune.

Tout ce dont je me souviens est fragmentaire et la mémoire ne me donne que la certitude d'une phrase que je l'ai souvent entendu prononcer quand, au bord de son abîme de silence, il m'invitait à m'asseoir près de lui.

— Viens, je vais te parler de Pilar Solorzano. Mais il ne m'en dit jamais plus.

Don Genaro vécut jusqu'à quatre-vingt-douze ans et son évocation de Pilar Solorzano fut prise pour le radotage d'un vieux solitaire, veuf, et qui confondait parfois les personnages des romans de Zamacois avec ceux de la vie réelle. Après la mort de mon grand-père, son grand compagnon, don Genaro échappait parfois à la tutelle familiale et on le voyait reparaître entre deux carabiniers.

— Ce monsieur est allé au Palais de la Moneda pour insulter un certain Largo Caballero. Que cela ne se reproduise plus ou nous nous verrons dans l'obligation de l'arrêter.

Don Genaro écoutait, la tête basse, les reproches de la famille, buvait une gorgée d'anis et, au lieu des excuses qu'on attendait, il lâchait son axiome moral :

« Tout pouvoir corrompt. » Puis contre les indications du médecin il allumait un cigare de Cali, traînait sa chaise de paille jusqu'au carré d'herbes médicinales qu'il cultivait et appelait comme à Grenade son « carmel » et de là me faisait cette invitation toujours inachevée : – Viens, je vais te parler de Pilar Solorzano.

Ce nom devint une formule de plaisanterie, un lieu commun sans importance. Par exemple, si mon père ou un de mes oncles, se bichonnait avant de sortir, on demandait : « Tu as rendez-vous avec Pilar Solorzano ? » Ou bien le distrait s'entendait immédiatement gratifier d'un : « Allons, arrête de penser à Pilar Solorzano. »

Don Genaro a-t-il été un homme heureux ? Par mes parents et mes oncles, je sais qu'il était un inventeur de machines malchanceux. Quand il les terminait ou bien elles étaient déjà inventées ou bien on ne leur trouvait pas d'application. C'est pourquoi il partit, au début du siècle, pour les Philippines et l'Amérique centrale à la recherche d'endroits où on apprécierait ses inventions. Il retourna en Espagne un jour. Là, il fit la connaissance de celle qui allait devenir sa femme, une Catalane, que je n'ai vue que sur des photos montrant le couple avec d'autres miliciens de la CNT. Ils n'eurent pas d'enfants et la fin de la Guerre civile les entraîna jusqu'à Trompeloup, près de Bordeaux. En 1939, ils réussirent à embarquer sur le *Winnipeg* en compagnie de deux mille autres vaincus, et leur dernière image de l'Europe fut la silhouette de Neruda, sur le quai, leur disant adieu...

— Ne t'inquiète pas. C'est une histoire belle et triste, dit le vieux libraire.

— Je ne sais que penser. Est-ce que tout cela n'est qu'une coïncidence sans signification ? Y a-t-il eu un autre Genaro Blanco heureusement accompagné par une autre Pilar Solorzano ? Regardez la page suivante, le tampon violet indique : E. Gobaud et Cie Libraires, Guatemala. Peut-être qu'à cette époque le Genaro Blanco que j'ai connu se trouvait en Amérique centrale. Comme tout ceci est étrange et confus.

Le libraire me regarda d'un air compréhensif, comme si ce genre de rencontre était parfaitement normal dans son monde de papier et d'idées ordonnées par le temps. Avant de parler il ôta ses lunettes et les nettoya avec son cache-col.

— Emporte le livre. Il t'attendait.

— Je ne vous ai pas encore demandé son prix. Je ne sais même pas si je peux le payer.

— Emporte le livre. Il contient un doute lointain qui attend d'être levé. Si tu ne l'emportes pas il te poursuivra comme un Golem. Souviens-toi que je suis juif et que je sais de quoi je parle. Le livre est à toi. Il appartient à Genaro Blanco et tu as été sa famille.

— C'est bon, j'accepte, mais à une condition : Je ne sais pas comment, mais je vais chercher Pilar Solorzano. Si je découvre que tout cela n'est qu'une méprise, je vous le rendrai.

Le libraire me regarda alors avec bienveillance, en excusant peut-être mon ignorance au sujet de l'inévitable.

Pendant tout le vol pour Barcelone je ne lâchai pas le livre. Je cherchais quelque chose de plus que la simple dédicace.

L'auteur s'appelait Elias Zerolo, il était publié par la Librairie espagnole de Garnier Frères, Paris 6e. En le feuilletant je trouvai un paragraphe qui aurait très bien pu être dit par Genaro Blanco quand il dépoussiérait ses idées libertaires : « ... et vous verrez qu'on ne trouve de satisfaction que dans le travail choisi librement et que ce n'est que par lui qu'on acquiert l'estime de l'humanité ».

À l'atterrissage à Barcelone j'avais établi un premier plan d'enquête et je commençai, en arrivant à l'hôtel, par téléphoner à ma mère, au Chili. Sans rien lui dire du livre, je lui demandai si par hasard don Genaro lui avait raconté dans quels pays il avait été au début du siècle.

— Comment veux-tu que je m'en souvienne ? Tu sais combien d'années sont passées depuis la mort du vieux ?

— S'il te plaît, essaye. C'est très important pour moi.

— On a toujours les papiers de don Genaro à la maison. Il avait plusieurs passeports, mais je ne sais pas où on a bien pu les ranger. Rappelle demain, d'ici là je vais les chercher.

— Non, Maman. Il faut le faire immédiatement.

— Quel calvaire. Ça va, rappelle-moi dans deux heures.

Par chance ma mère trouva les documents et je pus apprendre qu'entre 1907 et 1909, don Genaro avait vécu à Oviedo. Elle avait aussi trouvé plusieurs lettres de compagnies minières qui refusaient ses inventions. Et un passeport indiquant qu'il était sorti d'Espagne par Santander en 1910.

J'eus une longue nuit d'insomnie et lorsque je réussis à dormir un peu, je fis un rêve qui me rendit presque heureux. J'y voyais don Genaro, mon grand-père et le vieux libraire de Prague. Ils buvaient ensemble et parlaient comme des amis de longue date. Soudain don Genaro m'appela : Viens, je vais te parler de Pilar Solorzano, mais l'arrivée du jour emporta de nouveau son secret.

Le lendemain soir le train me déposa dans la capitale asturienne. Je cherchai un hôtel près de la Jirafa, demandai qu'on me monte un annuaire téléphonique et relevai les numéros de tous les Solorzano. Heureusement il n'y en avait qu'une vingtaine, je me mis à les appeler.

— Excusez-moi, je cherche à joindre de toute urgence une madame Pilar Solorzano qui a visité le Guatemala en 1909. Je sais que ça à l'air bizarre, mais j'insiste, c'est urgent.

Les quinze premiers appels ne rencontrèrent d'autre écho que la surprise et des phrases évasives. Peut-être que je m'expliquais mal, j'aurais dû dire que je cherchais des héritiers, enfin inventer un argument cohérent. Plein de doute je fis le numéro suivant et une voix de femme me fit transpirer d'émotion.

— Vous êtes bien chez Madame Solorzano, mais elle n'est pas là. Non. Elle est partie dans une maison de retraite. Elle n'a plus personne et elle ne pouvait plus vivre seule. Non. Non, elle ne s'appelle pas Pilar. Elle avait une sœur, oui, attendez un instant. José, tu te souviens du nom de la sœur de madame Solorzano ? Tu es sûr ? Allô, oui, la sœur s'appelait Pilar. Oui, si vous voulez venir. Demain ? Mais dans la journée nous ne sommes pas là. Si vous n'avez pas peur du désordre vous pouvez venir tout de suite. On est en plein travaux, vous savez comment c'est. On vient de louer et il reste beaucoup d'affaires de madame Solorzano. D'accord. Nous vous attendons.

La grande maison se trouvait tout près de la gare, et je fus reçu par un couple sympathique qui repeignait. Après des excuses mutuelles, moi parce que je m'imposais, eux pour les pots de peinture partout, je leur avouai que je ne savais pas ce que je faisais là, que je ne savais pas ce que je cherchais, mais qu'il était vital pour moi de trouver quelque chose, n'importe quoi qui me rapproche de Pilar Solorzano.

— Qu'est-ce que tu en penses ? José ? Il ne ressemble pas à un dingue, dit la femme.

— En tout cas il n'a pas l'air dangereux, indiqua l'homme.

Ils me laissèrent seul dans une chambre pleine de cadres, de livres, de lampes, de tapis et d'albums de photos.

Je ne fus pas long à découvrir l'existence réelle de Pilar Solorzano. Les photos classées d'une vie solitaire me montrèrent, au fil des pages, dans la chevelure soignée qui blanchit, dans les taches qui envahissent les mains et le visage, la lente transformation d'une femme qui ne cessa jamais d'être belle.

J'ouvris un album daté de 1908-1911. Plusieurs cartes sépia avec des paysages tropicaux, puis sur une photo je reconnus les traits de don Genaro. Pilar et lui sur des remparts, peut-être un fortin espagnol construit pour repousser les pirates. Elle, en robe longue, peut-être de coton très léger car le vent arrêté sur la photo l'agite d'un côté tout en le plaquant de l'autre sur un corps svelte. L'homme en costume, peut-être blanc, du lin sans doute, avec sur la tête un panama, serre un livre contre sa poitrine. C'était le livre qui, en ce moment même, quatre-vingts ans plus tard, gonflait la poche de ma veste.

Sachant ce que j'allais trouver, je détaillai la photo. Au dos une date : 15 août 1909.

Je ne sais combien de temps je suis resté dans cette chambre à regarder des photos et des lettres envoyées du Chili. Sur l'une d'elles de 1949, don Genaro parlait de ma naissance avec des mots dans lesquels je reconnus le ton qu'il employait pour expliquer ses idées libertaires, ou pour m'attirer jusqu'au bord de son offre inachevée : Viens, je vais te parler de Pilar Solorzano.

« Si vous pouviez le voir, Pilar. Un petit être qui vient peupler l'univers. Braillard, capricieux, sans défense, mais capable d'éveiller chez les plus rudes le sentiment filial qui fait de tous les hommes une grande famille. Si vous pouviez le voir, Pilar... »

Je ne voulus pas en lire plus. Je ne pus pas. J'eus honte d'épier cette intimité secrète, très secrète.

Je prenais congé du couple, lorsque la femme se souvint de l'existence d'une boîte de papiers importants qu'elle devait apporter à madame Solorzano. J'y trouvai le certificat de décès de Pilar. Elle était morte en 1954, plusieurs années avant don Genaro et avec la date de naissance je vis qu'elle avait quinze ans de plus que lui.

Toujours en serrant le livre, j'entrai dans un bar, et la chaleur d'un cognac m'emplit de questions.

Est-ce que don Genaro avait connu les mystères de l'amour, guidé par cette femme ? L'avait-elle suivi en Amérique centrale ? Avaient-ils essayé d'être heureux près de la Caraïbe ? Quand la distance s'était-elle interposée entre eux ? Avaient-ils soudain découvert que le piège des années s'ouvrirait sans pitié, par-delà les serments d'amour, par-delà la fièvre du bonheur que ternit si vite la raison étroite ? Avaient-ils prononcé avant de se séparer la formule caricaturale « je ne t'oublierai jamais » ? Ou la Guerre civile avait-elle été la cause de cette séparation ? Et le livre, avaient-ils lu ensemble, par exemple... « L'invention la plus remarquable de Blasco de Gay est la machine qui fait avancer les navires sans rames ni voiles, mais mus par la volonté domptée de l'eau » ?

Sur les pages du livre il y avait des traces d'humidité et des taches brunes menaçaient d'envahir les textes. Chez don Genaro il n'y eut ni taches ni ombres sur le souvenir de Pilar Solorzano.

Je veux croire que cet amour, comme le livre, survécut à la nuit de l'oubli et, qu'au crépuscule de sa vie, Pilar Solorzano appela sa sœur pour lui dire : Viens, je vais te parler de Genaro Blanco, et ensuite se taire penchée sur l'abîme des années ; le silence partagé fut le langage immaculé de ces amants, plus puissant que toutes les absences, toutes les souffrances et la force de cet amour fut nourrie de la certitude de mon arrivée inéluctable, prévue par une volonté inexplicable qui me choisit comme témoin de cette rencontre manquée de l'autre côté du temps.

Traduction A.-M. Métailié.

Aussi une autre porte du ciel

Mais qu'importe la gueule de bois si dessous il y a quelque chose de chaud, peut-être les empanadas, et un peu plus bas, une autre chose plus chaude encore, un cœur qui répète : quels cons, quels cons mais quels cons, quels irremplaçables cons, la putain de leur mère.

Julio Cortázar

Paris. Je ne sais pas. Je pense que dans ces mêmes rues, il regardait peut-être les mêmes fenêtres et ressentait la même chaleur de la fumée dans l'estomac... Je ne sais pas. Je parle de l'Ogre évidemment. Et quand je dis je parle, je pense dans mon bureau. Dehors c'est encore l'hiver. La lumière est agréable, sur la table un paquet de cigarettes est ouvert insidieux et pourtant je marche dans ces rues que, j'en suis sûr, l'Ogre a parcouru les mains dans les poches, je marche en faisant voler au vent les revers de mon imperméable ce qui nous donne un air d'oiseaux égarés.

Je découvre aussi beaucoup de choses. Je ne sais pas. Peut-être parce qu'au regard des catégories du monde je figure encore dans la rubrique des hommes jeunes. Marcher la cigarette à la bouche en fumant à petites bouffées, en oubliant sa présence, c'est de Henrich Böll, le vieux sage de Cologne, que je l'ai appris, et j'aime ça de la même manière que j'aime marcher dans Paris à cette heure de l'après-midi.

Et par-dessus tout j'aime sentir que je n'oublie pas l'Ogre.

Je marche et je parle. Je marche dans Paris et je parle avec mes amis de Madrid, assis dans ma chambre à

Hambourg. Onetti a raison : il faut renoncer aux territoires physiques et habiter le territoire de l'imagination.

Dans ces pages on est le 12 février et comme elles sont restées oubliées dans mon carnet, on y sera toujours le 12 février.

Hiver en Europe. Si je dis maintenant le nom de l'Ogre, vous allez penser qu'il s'agit d'un truc minable pour attirer l'attention. Par ailleurs si vous avez déjà lu que « on est le 12 février » il est possible (et je le désire ardemment) que vous ayez compris la première clef. Si c'est cela, vous vous souviendrez et vous ouvrirez machinalement tout grand les yeux de façon que les sourcils se soulèvent et reprennent leur place avec une maestria digne de Marcel Marceau. Si après tout cela vous continuez à lire, je sentirai que vous venez de me donner deux petites tapes amicales sur l'épaule et je pourrai continuer à parler et à écrire.

Vous vous rendez compte de la liberté avec laquelle nous pouvons nous entendre ? Si vous avez envie de prendre un cognac, d'allumer une cigarette brune et de vous installer comme un chat à votre endroit préféré, allez-y. Vous et moi sommes en train de remplir les fonctions magiques de la littérature.

Je ne pourrais pas parler de l'Ogre si je n'étais pas sûr que vous existez et que vous êtes mon complice.

Paris. Comment le dire ? De brefs séjours, évidemment. Tout au plus une quinzaine de jours, et depuis que ces sacrés Français sont devenus avares de leurs visas, tout juste quelques heures en attendant la correspondance du train qui m'amène à Madrid, ou me ramène sur les bords de l'Elbe. En général j'ai peu de bagages et je peux marcher de la Gare du Nord à la Gare d'Austerlitz en évitant la ligne 5 du métro, qui a, aux heures d'affluence, une odeur dont je ne vous parle pas.

Paris. Je ne sais pas. Je l'aime parce que j'y vis la présence d'autres êtres. J'habite avec et dans le souvenir d'autres êtres que j'ai aimés, que j'aime.

Je ne suis pas arrivé à connaître Paris dans l'intensité de la langue, du sang, bien qu'un jour j'y ai laissé un petit peu de chair, dans une vieille maison du boulevard des Batignolles au cours d'une bagarre avec un yankee ex-champion poids moyen. Je ne sais pas. Comment dire ? À cette époque je n'étais pas moi, moi maintenant. J'étais l'ombre de Hemingway, arpentant les rues à la recherche de poireaux et des rognures du crayon du maître. Paris. Maintenant je me rappelle que j'ai de sérieux problèmes avec les chiottes parisiennes. Quand j'étais jeune je me suis cassé une jambe en jouant aux gendarmes et aux voleurs avec les flics et depuis lors je suis absolument incapable du type de gymnastique qu'exige la culture sanitaire française. Mais trêve de divagations. Vous voulez que je vous parle le langage des écrivains d'histoires et nous avons commencé par dire que « on est le 12 février ».

J'avais huit heures à attendre la correspondance pour l'Espagne et comme toujours je décidai de marcher pour rêver le temps. Un jour horrible. Froid et pluie. Une pluie sans vent, résolument verticale qui en quelques minutes vous trempe jusqu'aux os et protégé par mon imperméable je me sentais privilégié. Dites-moi si on ne devrait pas donner le prix Nobel à l'inventeur de la toile caoutchoutée qui nous isole de la pluie.

Dans un instant de distraction je mis les pieds dans une flaque et voyant que mes chaussettes de laine buvaient l'eau, je décidai d'entrer dans un petit café faiblement éclairé. Je suspendis mon imperméable près du chauffage et demandai un double cognac. L'endroit n'était pas mal. De rares consommateurs lisaient le journal du soir et une radio diffusait en sourdine les notes d'un concerto pour flûte. Mozart, le cognac qui descendait lentement dans ma gorge et mes chaussettes qui séchaient. C'est alors que je les ai entendus parler derrière moi.

C'étaient eux. Il n'y avait pas de doute c'étaient eux. Je ne pouvais pas les voir et ça ne faisait rien parce que je ne les avais jamais vus auparavant. De plus je crois que l'Ogre était le seul à bien connaître leurs traits. Mais c'étaient eux, comment j'explique ça, au fond c'est le hasard. Borgès dit que nous savons peu de chose des lois qui régissent le hasard, et c'est certain. C'étaient eux.

Je ne voulus pas me retourner pour voir leurs visages. Je ne cédai pas non plus à la tentation de leur parler. Je ne sais pas. Je devinais que c'était inutile. Sans être croyant je sais qu'il y a un territoire qu'on appelle limbes, mais je n'ai jamais pensé qu'il pouvait ressembler à un café mal éclairé du côté de Montparnasse. C'étaient eux et ils parlaient argentin.

— De ta mère, disait celui qu'à la voix je devinai être le plus vieux. On est dans une dèche épouvantable et vous dépensez nos dernières ressources pour acheter un journal.

— Il faut s'informer, repliqua celui qui avait l'air plus jeune. La presse est le pont qui nous relie au monde civilisé. C'est la main qui modèle la pâte de notre opinion future. Le quatrième pouvoir. De plus je l'ai acheté pour le programme hippique. Fortunato court dans la septième.

— Et à quoi ça nous sert de savoir que Fortunato court dans la septième si on n'a même pas un sou à mettre dessus. Et un de ces quatre ce canasson gagne et nous, on souffre deux fois. Va te faire foutre.

— On voit bien que vous méconnaissez le pouvoir de la presse, collègue. Si nous sommes bien informés nous pouvons aller à l'hippodrome et là chercher quelqu'un qui a l'air indécis et puis comme ça : « Bonsoir. Excusez-moi de vous déranger, nous avons actuellement un petit problème financier qui nous empêche de miser sur le cheval qui va gagner dans la septième. Nous sommes cousins de la femme du cheval, je veux dire de la femme du jockey et nous avons pensé que moyennant un petit pourcentage sur les gains nous pourrions partager ce secret avec vous. » Vous saisissez ? Vous comprenez maintenant pourquoi j'aime être toujours bien informé ?

— Mon Dieu ! Quel optimisme ! Et vous pouvez me dire avec quoi on va payer l'entrée à l'hippodrome ? Et, une autre question sans importance, vous pensez qu'on va y aller à pieds sous ce déluge ?

— Bon. À Saint-Denis il y a un portillon qui s'ouvre d'un coup de pied, un Haïtien me l'a dit ce matin.

— Mon Dieu !

— Et depuis quand vous êtes si mystique, che ?

— Comme je souffre pour les abandonnés. Vous connaissez le poème ? Depuis que le maître s'en est allé, on est resté une main devant une main derrière.

— Oui. Avant on ne manquait jamais de rien. Et on avait toujours une bouteille de grappa sous la main. Ça fait combien de temps qu'on ne s'est pas jeté une petite grappa derrière la cravate. Vous croyez qu'il est au ciel ?

— Ne dites pas de conneries. Mon mysticisme ne va pas jusque-là. La théologie du désespoir a des limites.

Le garçon les interrompit. Avec un air de brute, certainement étudié dans la légion étrangère il se planta devant eux, décidé à ne pas bouger tant qu'ils n'auraient rien commandé.

— Un café, dit le plus vieux.

— Pour l'instant je ne prendrais qu'un verre d'eau, j'ai dû manger quelque chose de lourd à midi, vous savez ?

Le garçon s'éloigna en râlant. J'avais envie de les inviter à boire un coup, à manger ce qu'ils voudraient, mais une sensation plus forte que la pudeur me cloua sur ma chaise et je m'en réjouis. Après tout je connais les difficultés économiques qui les ont toujours caractérisés, l'Ogre en a beaucoup parlé et de plus les types comme eux se débrouillent toujours.

— On aurait pu commander deux cafés et deux croissants.

— Et un canard à l'orange, non ? Je crains de devoir vous faire un rapide inventaire de nos biens. J'ai 3,50 francs, un ticket de métro, dont je doute que la machine l'accepte parce qu'il est mouillé et sept cigarettes. Vous, collègue, vous avez votre maudit journal, les allumettes et la clef de la chambre.

— C'est la crise. Vous avez vu l'air imbécile du garçon. Qu'est-ce qu'il voulait ce fils de pute qu'on commande un faisan ?

— Combien on peut tirer des livres ?

— Vendre les livres ? C'est tout ce qu'on a comme souvenir.

— Préjugés ! Vous avez volé deux couronnes le jour de l'enterrement.

— Eh là ! Attention aux accusations injustes. Oui, j'ai volé les couronnes. Mais je l'ai fait en pensant qu'il aurait aimé. Quelle jolie nouvelle il aurait écrite. Et n'oubliez pas que le soir vous m'avez aidé à vendre les œillets.

— D'accord, je vous présente mes excuses. Nous sommes impliqués tous les deux.

— Ecoutez, Fortunato est arrivé quatrième la semaine dernière et troisième celle d'avant. Les pronostics disent que sur terrain humide il a toute ses chances. Fortunato fils de Walkyria et de Lord Jim. Avec ce pedigree ce cheval est sûr. Quel malheur !

— Oui. Quel malheur. Il vaut mieux aller à l'atelier de Gilles pour se consoler. Si ça se trouve on arrive, peut-être, au moment où il fait des spaghettis et à cause de la pluie on se voit dans l'obligation de rester...

Celui qui avait l'air d'être le plus jeune se leva en déclarant qu'il allait méditer un moment aux toilettes. Je pus le voir de dos, taille moyenne, enveloppé dans un manteau à carreaux de trois tailles trop grand. J'entendis que l'autre se déplaçait jusqu'à une table proche et demandait du feu. C'était le moment. J'avais dans la main un billet de cent francs que j'avais plié en quatre pendant qu'ils philosophaient. Je me tournai rapidement, tendis le bras et plaçai le billet entre les pages du journal. Je repris ma position.

Le plus jeune revint des toilettes en boutonnant son manteau. Je ne voulais pas voir leurs visages, pas encore, si bien que je fis semblant de rattacher mon lacet quand l'homme passa près de moi.

— Alors ? Vous avez réfléchi ? La possibilité des spaghettis de Gilles vous séduit ?

— Et qu'est-ce qu'on peut faire d'autre. Fortunato. Fortunato. Pourquoi fallait-il que ça soit à cette période de vaches maigres ? Ecoutez, laissez-moi vous relire la biographie de cet animal.

— Allons-y. Qu'est-ce qu'il y a ? Vous êtes tout pâle.

— Che... Vous croyez aux miracles ?

— Arrêtez vos conneries. Je vous ai dit que mon mysticisme...

Le silence des deux hommes m'indiqua qu'ils avaient trouvé le billet.

— Vous l'avez trouvé dans les toilettes ?

— Ne parlez pas si fort. Non. Ici. Maintenant.

— Ça doit être le vieux du kiosque.

— Impossible j'ai lu tout le journal. Toutes les pages. Je l'aurais vu.

— C'est un miracle !

— Je vous avais bien dit qu'il fallait mettre des cierges au défunt.

— On va lui mettre un cierge de cathédrale, oui ! Un cierge de cathédrale avec des petites bougies d'anniversaire ! Commandons quelque chose, mes dents tremblent d'envie de mordre.

— Pas ici. C'est un endroit bas de gamme. Laissez-moi faire les comptes. Chez Paul un steak frites c'est 24 francs. Un litre de vin ordinaire 20 francs. Avec les taxes et tout, ça fait 80 francs. Il nous reste 20 francs pour aller à l'hippodrome et au passage on prend des cigarettes.

— Alors, qu'est-ce qu'on attend ?

Pressés, ils sortirent. Le plus vieux jeta quelques pièces sur la table et baragouina en français pour dire au garçon de garder la monnaie pour ses vacances. À ce moment une phrase de Umberto Eco me passa par la tête, elle parlait du droit de s'immiscer et je décidai qu'ils faisaient aussi partie des miens, qu'ils avaient le droit de savoir que, bien que nous ne nous soyions jamais vus, nous étions pourtant de vieilles connaissances. J'avais le temps, et si ce n'était pas le cas, quelle importance. C'était la meilleure occasion de connaître l'hippodrome de Paris avec des experts et de faire ensuite la fête à la santé de l'Ogre.

Je payai, mis mon imperméable et sortis. Il pleuvait et je les vis au moment où ils tournaient au coin de la rue.

— Polanco ! Calac ! m'entendis-je crier en courant pour les rattraper.

En arrivant au coin de la rue je ne trouvai qu'une rue vide, étrangement éclairée par les pavés mouillés. Pas de trace des deux hommes, avalés par qui sait quelle autre porte aussi secrète du ciel.

Traduction A.-M. Métailié.

TABLE DES MATIÈRES

RÉALISATION : DARANTIERE
IMPRESSION : S.N. FIRMIN-DIDOT AU MESNIL-SUR-L'ESTRÉE
DÉPÔT LÉGAL : AVRIL 1999. N° D'ÉDITION : 99-0152-2 (47593)

Collection Points

DERNIERS TITRES PARUS

P350. Un secret sans importance, *par Agnès Desarthe*
P351. Les Millions d'arlequin, *par Bohumil Hrabal*
P352. La Mort du lion, *par Henry James*
P353. Une sage femme, *par Kaye Gibbons*
P354. Dans un jardin anglais, *par Anne Fine*
P355. Les Oiseaux du ciel, *par Alice Thomas Ellis*
P356. L'Ange traqué, *par Robert Crais*
P357. L'Homme symbiotique, *par Joël de Rosnay*
P358. Moha le fou, Moha le sage, *par Tahar Ben Jelloun*
P359. Les Yeux baissés, *par Tahar Ben Jelloun*
P360. L'Arbre d'amour et de sagesse, *par Henri Gougaud*
P361. L'Arbre aux trésors, *par Henri Gougaud*
P362. Le Vertige, *par Evguénia S. Guinzbourg*
P363. Le Ciel de la Kolyma (Le Vertige, II)
par Evguénia S. Guinzbourg
P364. Les hommes cruels ne courent pas les rues
par Katherine Pancol
P365. Le Pain nu, *par Mohamed Choukri*
P366. Les Lapins du commandant, *par Nedim Gürsel*
P367. Provence toujours, *par Peter Mayle*
P368. La Promeneuse d'oiseaux, *par Didier Decoin*
P369. Un hiver en Bretagne, *par Michel Le Bris*
P370. L'Héritage Windsmith, *par Thierry Gandillot*
P371. Dolly, *par Anita Brookner*
P372. Autobiographie d'un cheval, *par John Hawkes*
P373. Châteaux de la colère, *par Alessandro Baricco*
P374. L'Amant du volcan, *par Susan Sontag*
P375. Chroniques de la haine ordinaire, *par Pierre Desproges*
P376. La Prière de l'absent, *par Tahar Ben Jelloun*
P377. La Plus Haute des solitudes, *par Tahar Ben Jelloun*
P378. Scarlett, si possible, *par Katherine Pancol*
P379. Journal, *par Jean-René Huguenin*
P380. Le Polygone étoilé, *par Kateb Yacine*
P381. La Chasse au lézard, *par William Boyd*
P382. Texas (tome 1), *par James A. Michener*
P383. Texas (tome 2), *par James A. Michener*
P384. Vivons heureux en attendant la mort, *par Pierre Desproges*
P385. Le Fils de l'ogre, *par Henri Gougaud*
P386. La neige tombait sur les cèdres, *par David Guterson*
P387. Les Seigneurs du thé, *par Hella S. Haasse*

P388. La Fille aux yeux de Botticelli, *par Herbert Lieberman*
P389. Tous les hommes morts, *par Lawrence Block*
P390. La Blonde en béton, *par Michael Connelly*
P391. Palomar, *par Italo Calvino*
P392. Sous le soleil jaguar, *par Italo Calvino*
P393. Félidés, *par Akif Pirinçci*
P394. Trois Heures du matin à New York, *par Herbert Lieberman*
P395. La Maison près du marais, *par Herbert Lieberman*
P396. Le Médecin de Cordoue, *par Herbert Le Porrier*
P397. La Porte de Brandebourg, *par Anita Brookner*
P398. Hôtel du Lac, *par Anita Brookner*
P399. Replay, *par Ken Grimwood*
P400. Chesapeake, *par James A. Michener*
P401. Manuel de savoir-vivre à l'usage des rustres et des malpolis *par Pierre Desproges*
P402. Le Rêve de Lucy *par Pierre Pelot et Yves Coppens (dessins de Liberatore)*
P403. Dictionnaire superflu à l'usage de l'élite et des bien nantis *par Pierre Desproges*
P404. La Mamelouka, *par Robert Solé*
P405. Province, *par Jacques-Pierre Amette*
P406. L'Arbre de vies, *par Bernard Chambaz*
P407. La Vie privée du désert, *par Michel Chaillou*
P408. Trop sensibles, *par Marie Desplechin*
P409. Kennedy et moi, *par Jean-Paul Dubois*
P410. Le Cinquième Livre, *par François Rabelais*
P411. La Petite Amie imaginaire, *par John Irving*
P412. La Vie des insectes, *par Viktor Pelevine*
P413. La Décennie Mitterrand, 3. Les Défis *par Pierre Favier et Michel Martin-Roland*
P414. La Grimace, *par Heinrich Böll*
P415. La Famille de Pascal Duarte, *par Camilo José Cela*
P416. Cosmicomics, *par Italo Calvino*
P417. Le Chat et la Souris, *par Günter Grass*
P418. Le Turbot, *par Günter Grass*
P419. Les Années de chien, *par Günter Grass*
P420. L'Atelier du peintre, *par Patrick Grainville*
P421. L'Orgie, la Neige, *par Patrick Grainville*
P422. Topkapi, *par Eric Ambler*
P423. Le Nouveau Désordre amoureux *par Pascal Bruckner et Alain Finkielkraut*
P424. Un homme remarquable, *par Robertson Davies*
P425. Le Maître de chasse, *par Mohammed Dib*
P426. El Guanaco, *par Francisco Coloane*
P427. La Grande Bonace des Antilles, *par Italo Calvino*

P428. L'Écrivain public, *par Tahar Ben Jelloun*
P429. Indépendance, *par Richard Ford*
P430. Les Trafiquants d'armes, *par Eric Ambler*
P431. La Sentinelle du rêve, *par René de Ceccatty*
P432. Tuons et créons, c'est l'heure, *par Lawrence Block*
P433. Textes de scène, *par Pierre Desproges*
P434. François Mitterrand, *par Franz-Olivier Giesbert*
P435. L'Héritage Schirmer, *par Eric Ambler*
P436. Ewald Tragy et autres récits de jeunesse
par Rainer Maria Rilke
P437. Histoires pragoises, *par Rainer Maria Rilke*
P438. L'Admiroir, *par Anny Duperey*
P439. Une trop bruyante solitude, *par Bohumil Hrabal*
P440. Temps zéro, *par Italo Calvino*
P441. Le Masque de Dimitrios, *par Eric Ambler*
P442. La Croisière de l'angoisse, *par Eric Ambler*
P443. Milena, *par Margarete Buber-Neumann*
P444. La Compagnie des loups et autres nouvelles
par Angela Carter
P445. Tu vois, je n'ai pas oublié
par Hervé Hamon et Patrick Rotman
P446. Week-end de chasse à la mère
par Geneviève Brisac
P447. Un cercle de famille, *par Michèle Gazier*
P448. Étonne-moi, *par Guillaume Le Touze*
P449. Le Dimanche des réparations, *par Sophie Chérer*
P450. La Suisse, l'Or et les Morts, *par Jean Ziegler*
P451. L'Humanité perdue, *par Alain Finkielkraut*
P452. Abraham de Brooklyn, *par Didier Decoin*
P454. Les Immémoriaux, *par Victor Segalen*
P455. Moi d'abord, *par Katherine Pancol*
P456. Traité du zen et de l'entretien des motocyclettes
par Robert H. Pirsig
P457. Un air de famille, *par Michael Ondaatje*
P458. Les Moyens d'en sortir, *par Michel Rocard*
P459. Le Mystère de la crypte ensorcelée, *par Eduardo Mendoza*
P460. Le Labyrinthe aux olives, *par Eduardo Mendoza*
P461. La Vérité sur l'affaire Savolta, *par Eduardo Mendoza*
P462. Les Pieds-bleus, *par Claude Ponti*
P463. Un paysage de cendres, *par Élisabeth Gille*
P464. Un été africain, *par Mohammed Dib*
P465. Un rocher sur l'Hudson, *par Henry Roth*
P466. La Misère du monde, *sous la direction de Pierre Bourdieu*
P467. Les Bourreaux volontaires de Hitler
par Daniel Jonah Goldhagen

P468. Casting pour l'enfer, *par Robert Crais*
P469. La Saint-Valentin de l'homme des cavernes *par George Dawes Green*
P470. Loyola's blues, *par Erik Orsenna*
P472. Les Adieux, *par Dan Franck*
P473. La Séparation, *par Dan Franck*
P474. Ti Jean L'horizon, *par Simone Schwarz-Bart*
P475. Aventures, *par Italo Calvino*
P476. Le Château des destins croisés, *par Italo Calvino*
P477. Capitalisme contre capitalisme, *par Michel Albert*
P478. La Cause des élèves, *par Marguerite Gentzbittel*
P479. Des femmes qui tombent, *par Pierre Desproges*
P480 Le Destin de Nathalie X, *par William Boyd*
P481. Le Dernier Mousse, *par Francisco Coloane*
P482. Jack Frusciante a largué le groupe, *par Enrico Brizzi*
P483. La Dernière Manche, *par Emmett Grogan*
P484. Les Lauriers du lac de Constance, *par Marie Chaix*
P485. Les Fous de Bassan, *par Anne Hébert*
P486. Collection de sable, *par Italo Calvino*
P487. Les étrangers sont nuls, *par Pierre Desproges*
P488. Trainspotting, *par Irvine Welsh*
P489. Suttree, *par Cormac McCarthy*
P490. De si jolis chevaux, *par Cormac McCarthy*
P491. Traité des passions de l'âme, *par António Lobo Antunes*
P492. N'envoyez plus de roses, *par Eric Ambler*
P493. Le corps a ses raisons, *par Thérèse Bertherat*
P494. Le Neveu d'Amérique, *par Luis Sepúlveda*
P495. Mai 68, histoire des événements *par Laurent Joffrin*
P496. Que reste-t-il de Mai 68 ?, essai sur les interprétations des « événements » *par Henri Weber*
P497. Génération 1. Les années de rêve *par Hervé Hamon et Patrick Rotman*
P498. Génération 2. Les années de poudre *par Hervé Hamon et Patrick Rotman*
P499. Eugène Oniéguine, *par Alexandre Pouchkine*
P500. Montaigne à cheval, *par Jean Lacouture*
P501. Le Mendiant de Jérusalem, *par Elie Wiesel*
P502. … Et la mer n'est pas remplie, *par Elie Wiesel*
P503. Le Sourire du chat, *par François Maspero*
P504. Merlin, *par Michel Rio*
P505. Le Semeur d'étincelles, *par Joseph Bialot*

P506. Hôtel Pastis, *par Peter Mayle*
P507. Les Éblouissements, *par Pierre Mertens*
P508. Aurélien, Clara, mademoiselle et le lieutenant anglais *par Anne Hébert*
P509. Dans la plus stricte intimité, *par Myriam Arissimov*
P510. Éthique à l'usage de mon fils, par *Fernando Savater*
P511. Aventures dans le commerce des peaux en Alaska *par John Hawkes*
P512. L'Incendie de Los Angeles, *par Nathanaël West*
P513. Montana Avenue, *par April Smith*
P514. Mort à la Fenice, *par Donna Leon*
P515. Jeunes Années, t. 1, *par Julien Green*
P516. Jeunes Années, t. 2, *par Julien Green*
P517. Deux Femmes, *par Frédéric Vitoux*
P518. La Peau du tambour, *par Arturo Perez-Reverte*
P519. L'Agonie de Proserpine, *par Javier Tomeo*
P520. Un jour je reviendrai, *par Juan Marsé*
P521. L'Étrangleur, *par Manuel Vázquez Montalbán*
P522. Gais-z-et-contents, *par Françoise Giroud*
P523. Teresa l'après-midi, *par Juan Marsé*
P524. L'Expédition, *par Henri Gougaud*
P525. Le Grand Partir, *par Henri Gougaud*
P526. Le Tueur des abattoirs et autres nouvelles *par Manuel Vázquez Montalbán*
P527. Le Pianiste, *par Manuel Vázquez Montalbán*
P528. Mes démons, *par Edgar Morin*
P529. Sarah et le Lieutenant français, *par John Fowles*
P530. Le Détroit de Formose, *par Anthony Hyde*
P531. Frontière des ténèbres, *par Eric Ambler*
P532. La Mort des bois, *par Brigitte Aubert*
P533. Le Blues du libraire, *par Lawrence Block*
P534. Le Poète, *par Michael Connelly*
P535. La Huitième Case, *par Herbert Lieberman*
P536. Bloody Waters, *par Carolina Garcia-Aguilera*
P537. Monsieur Tanaka aime les nymphéas, *par David Ramus*
P538. Place de Sienne, côté ombre *par Carlo Fruttero et Franco Lucentini*
P539. Énergie du désespoir, *par Eric Ambler*
P540. Épitaphe pour un espion, *par Eric Ambler*
P541. La Nuit de l'erreur, *par Tahar Ben Jelloun*
P542. Compagnons de voyage, *par Hubert Reeves*
P543. Les amandiers sont morts de leurs blessures *par Tahar Ben Jelloun*
P544. La Remontée des cendres, *par Tahar Ben Jelloun*
P545. La Terre et le Sang, *par Mouloud Feraoun*

P546. L'Aurore des bien-aimés, *par Louis Gardel*
P547. L'Éducation féline, *par Bertrand Visage*
P548. Les Insulaires, *par Christian Giudicelli*
P549. Dans un miroir obscur, *par Jostein Gaarder*
P550. Le Jeu du roman, *par Louise L. Lambrichs*
P551. Vice-versa, *par Will Self*
P552. Je voudrais vous dire, *par Nicole Notat*
P553. François, *par Christina Forsne*
P554. Mercure rouge, *par Reggie Nadelson*
P555. Même les scélérats…, *par Lawrence Block*
P556. Monnè, Outrages et Défis, *par Ahmadou Kourouma*
P557. Les Grosses Rêveuses, *par Paul Fournel*
P558. Les Athlètes dans leur tête, *par Paul Fournel*
P559. Allez les filles !, *par Christian Baudelot et Roger Establet*
P560. Quand vient le souvenir, *par Saul Friedländer*
P561. La Compagnie des spectres, *par Lydie Salvayre*
P562. La Poussière du monde, *par Jacques Lacarrière*
P563. Le Tailleur de Panama, *par John Le Carré*
P564. Che, *par Pierre Kalfon*
P565. Du fer dans les épinards, et autres idées reçues *par Jean-François Bouvet*
P566. Étonner les Dieux, *par Ben Okri*
P567. L'Obscurité du dehors, *par Cormac McCarthy*
P568. Push, *par Sapphire*
P569. La Vie et demie, *par Sony Labou Tansi*
P570. La Route de San Giovanni, *par Italo Calvino*
P571. Requiem caraïbe, *par Brigitte Aubert*
P572. Mort en terre étrangère, *par Donna Leon*
P573. Complot à Genève, *par Eric Ambler*
P574. L'Année de la mort de Ricardo Reis, *par José Saramago*
P575. Le Cercle des représailles, *par Kateb Yacine*
P576. La Farce des damnés, *par António Lobo Antunes*
P577. Le Testament, *par Rainer Maria Rilke*
P578. Archipel, *par Michel Rio*
P579. Faux Pas, *par Michel Rio*
P580. La Guitare, *par Michel del Castillo*
P581. Phénomène futur, *par Olivier Rolin*
P582. Tête de cheval, *par Marc Trillard*
P583. Je pense à autre chose, *par Jean-Paul Dubois*
P584. Le Livre des amours, *par Henri Gougaud*
P585. L'Histoire des rêves danois, *par Peter Høeg*
P586. La Musique du diable, *par Walter Mosley*
P587. Amour, Poésie, Sagesse, *par Edgar Morin*
P588. L'Enfant de l'absente, *par Thierry Jonquet*
P589. Madrapour, *par Robert Merle*

P590. La Gloire de Dina, *par Michel del Castillo*
P591. Une femme en soi, *par Michel del Castillo*
P592. Mémoires d'un nomade, *par Paul Bowles*
P593. L'Affreux Pastis de la rue des Merles, *par Carlo Emilio Gadda*
P594. En sortant de l'école, *par Michèle Gazier*
P595. Lorsque l'enfant paraît, tome 1, *par Françoise Dolto*
P596. Lorsque l'enfant paraît, tome 2, *par Françoise Dolto*
P597. Lorsque l'enfant paraît, tome 3, *par Françoise Dolto*
P598. La Déclaration, *par Lydie Salvayre*
P599. La Havane pour un infante défunt
par Guillermo Cabrera Infante
P600. Enfances, *par Françoise Dolto*
P601. Le Golfe des peines, *par Francisco Coloane*
P602. Le Perchoir du perroquet, *par Michel Rio*
P603. Mélancolie Nord, *par Michel Rio*
P604. Paradiso, *par José Lezama Lima*
P605. Le Jeu des décapitations, *par José Lezama Lima*
P606. Bloody Shame, *par Carolina Garcia-Aguilera*
P607. Besoin de mer, *par Hervé Hamon*
P608. Une vie de chien, *par Peter Mayle*
P609. La Tête perdue de Damasceno Monteiro, *par Antonio Tabbuchi*
P610. Le Dernier des Savage, *par Jay McInerney*
P611. Un enfant de Dieu, *par Cormac McCarthy*
P612. Explication des oiseaux, *par António Lobo Antunes*
P613. Le Siècle des intellectuels, *par Michel Winock*
P614. Le Colleur d'affiches, *par Michel del Castillo*
P615. L'Enfant chargé de songes, *par Anne Hébert*
P616. Une saison chez Lacan, *par Pierre Rey*
P617. Les Quatre Fils du Dr March, *par Brigitte Aubert*
P618. Un vénitien anonyme, *par Donna Leon*
P619. Histoire du siège de Lisbonne, *par José Saramago*
P620. Le Tyran éternel, *par Patrick Grainville*
P621. Merle, *par Anne-Marie Garat*
P622. Rendez-vous d'amour dans un pays en guerre
par Luis Sepúlveda
P623. Marie d'Égypte, *par Jacques Lacarrière*
P624. Les Mystères du Sacré-Cœur, *par Catherine Guigon*
P625. Armadillo, *par William Boyd*
P626. Pavots brûlants, *par Reggie Nadelson*
P627. Dogfish, *par Susan Geason*
P628. Tous les soleils, *par Bertrand Visage*
P629. Petit Louis, dit XIV. L'Enfance du Roi-Soleil
par Claude Duneton
P630. Poisson-chat, *par Jerome Charyn*
P631. Les Seigneurs du crime, *par Jean Ziegler*